BOOKS BY ~~~~~~~~~~

- Meurtre rue Saint-Jacques
- Meurtre avenue des Champs-Élysées
- Meurtre à Montmartre
- Meurtre au château
- Meurtre à Noël
- Merde, It's Not Easy to Learn French
- Merde, French is Hard... but Fun!
- Merde, I'm in Paris!
- Petit déjeuner à Paris
- Déjeuner à Paris
- Dîner à Paris
- Une famille compliquée

Visit her author page at francedubin.com.

MEURTRE À NOËL

A MURDER MYSTERY IN EASY FRENCH

PETITS MEURTRES FRANÇAIS

FRANCE DUBIN

ISBN: 978-1-960003-06-5 (paperback)
978-1-960003-07-2 (e-book)

20230831

Acknowledgments

Je voudrais remercier mon mari Joe Dubin, Christophe Blond, Stewart Cook, Geri LaJoie, et tous mes étudiants.

INTRODUCTION

I hope you enjoy this book! I also recommend the companion audiobook version so you can learn how to pronounce this beautiful language correctly. For information on where to buy the audiobook, visit my website at francedubin.com. Merci beaucoup et bonne lecture !

France Dubin

francedubinauthor@gmail.com
facebook.com/FranceDubinAuthor
Instagram: @books.in.easy.french

MEURTRE À NOËL

PROLOGUE

Noël est ma fête préférée. J'adore tout de Noël. J'adore décorer ma maison. J'adore les chansons de Noël. J'adore l'odeur du sapin de Noël. J'adore offrir des cadeaux. J'adore recevoir des cadeaux. Et j'adore passer Noël avec ma meilleure amie Cathy.

Tous les 24 décembre, Cathy et moi passons la soirée ensemble. Nous mangeons un bon repas. Nous buvons une bonne bouteille de champagne. Nous passons une soirée merveilleuse.

Mais malheureusement, cette année, Noël va être différent...

CHAPITRE I

J e bois mon thé quand je vois le nom de Cathy apparaître sur mon téléphone portable.

- Allô !

- Bonjour, Alice. Comment vas-tu ? me demande-t-elle.

Je suis très contente d'entendre sa voix.

- Je vais très bien. Et toi ?

- Je vais super bien aussi, dit-elle.

Sa voix est joyeuse. Elle doit commencer à penser à notre dîner de Noël.

- C'est amusant, Cathy, je pensais à toi justement.

- Vraiment ? dit-elle.

- Oui, je pensais que nous avions beaucoup de chance de passer Noël ensemble tous les ans. Qu'est-ce que nous allons dîner cette année ? J'ai pensé à des coquilles Saint-Jacques avec une sauce à la crème fraîche. Tu aimes les coquilles Saint-Jacques ?

Il y a quelques secondes de silence.

- Cathy, tu es là ?

- Oui, je suis là. Voilà, il faut que je te parle...

Tout à coup, sa voix devient moins forte.

- Je t'écoute, Cathy. Tu n'es pas au régime au moins ?

- Non, rassure-toi. Je ne suis pas au régime.

- Tu as acheté ton billet d'avion pour venir à Houston ?

Cathy habite depuis dix ans à Chicago. Elle travaille dans un grand hôtel. Tous les ans, elle revient à Houston pour rendre visite à ses parents et pour me voir. Elle fête Hanoukka avec eux et elle fête Noël avec moi.

- Non, je n'ai pas acheté mon billet d'avion.

- Tu as des problèmes d'argent ? je lui demande inquiète.

Il y a quelques secondes de silence.

- Alice, j'ai rencontré quelqu'un, dit-elle. Il s'appelle Arthur. Il est divorcé. Il veut me présenter à sa famille. Je vais passer Noël avec lui.

EXERCICE DU CHAPITRE I

D'habitude, Alice passe Noël avec son amie Cathy. Malheureusement cette année, Cathy a rencontré quelqu'un et elle ne va pas passer Noël avec son amie Alice.

Alice va passer le réveillon de Noël seule. C'est triste !

Trouvez les traductions de ces mots :

1. un sapin de Noël
a) an elf
b) a Christmas tree
c) Santa Claus

2. emballer
a) to wrap
b) to pretend you like the present
c) to unwrap

3. un traîneau
a) a man who likes to drink eggnog
b) a snowman
c) a sled

4. Le réveillon

a) the day after Christmas

b) Christmas eve (it could also be New Year's eve)

c) the 12th day after Christmas

5. un lutin

a) a deer

b) a snowman

c) an elf

CHAPITRE 2

Mon amie Cathy ne va pas passer Noël avec moi.

Maintenant je dois trouver un plan B. Je ne veux pas passer Noël toute seule. Je regarde les noms de mes amis sur mon téléphone portable. Avec qui est-ce que je peux passer Noël ?

Karine Comet ? Karine Comet travaille à la bibliothèque depuis trois mois. Je pourrais la contacter, mais Karine parle beaucoup. Elle est très bavarde. Elle a toujours beaucoup de choses à dire sur tous les sujets de société. Je n'ai pas envie de passer la soirée du 24 décembre à entendre parler de réchauffement climatique, de la montée de l'extrême droite dans les démocraties occidentales ou des effets négatifs des réseaux sociaux comme Facebook. Je laisse tomber Karine Comet.

Bill Fried ? Bill est sympa. Il est célibataire. Il ne parle pas beaucoup. C'est une possibilité, mais je me souviens soudainement que Bill est végan. Et j'ai très envie de manger des coquilles Saint-Jacques à la crème fraîche pour Noël. Je laisse tomber Bill Fried.

Barbara Quiet s'est mariée cette année. Son mari est un idiot. Je laisse tomber Barbara.

Lydia Root a des jumelles de moins de six mois. Je laisse tomber Lydia.

Éric Torrisi ? Oui, Éric Torrisi. C'est une très bonne idée. Je décide de l'appeler.

- Bonjour, Éric ! C'est Alice.

- Bonjour Alice.

- Éric, je vais te poser une question directe. Qu'est-ce que tu fais pour Noël ?

- Je ne fais rien.

- Parfait. Est-ce que tu aimerais venir manger chez moi ? Je suis seule et j'aimerais manger un plat de coquilles Saint-Jacques avec un ami. Tu n'es pas végan ?

- Non Alice, je ne suis pas végan. J'adore les coquilles Saint-Jacques. J'accepte ton invitation.

- C'est parfait. Viens chez moi vers 18 heures.

- Qu'est-ce que j'apporte ?

- Tu peux par exemple apporter une bonne bouteille de vin.

- C'est un problème, car je ne bois pas depuis un an, dit-il.

- Tu ne bois pas ?

- Non, je ne bois pas d'alcool.

Il y a quelques secondes de silence. Je suis embarrassée.

- Quelqu'un frappe à ma porte, Éric. Je te rappelle plus tard. D'accord ?

EXERCICE DU CHAPITRE 2

Alice ne veut pas passer le réveillon de Noël seule. Elle doit trouver un ami pour fêter Noël avec elle.

Complétez les phrases suivantes avec le pronom personnel tonique correct.

(moi, toi, lui, elle, nous, vous, eux, elles)

1. Est-ce que tu veux passer Noël avec _____ ? (*us*)
2. J'ai un cadeau pour _____. (*her*)
3. Elles vont manger chez _____. (*their place*)
4. Vous connaissez Éric ? J'habite à côté de chez _____. (*him*)
5. Je vais passer Noël avec des amis. Et _____ ? (*you* /informelle)
6. C'est ma coupe de champagne. Elle est à _____. (*me*)
7. J'aime Noël. Et _____ ? (*you* /formelle)
8. Nous n'avons pas de cadeaux pour _____. (*them*/ masc)

CHAPITRE 3

J e continue à faire le tour de mes contacts. Je dois trouver un ami ou une amie avec qui passer le dîner du 24 décembre, le réveillon de Noël. Pour le moment, je ne trouve personne. Je barre les noms de mes amis les uns après les autres : Karine, Bill, Éric, Joe, Caroline...

Tout à coup, je trouve dans mes contacts le nom de Amy Grant.

Amy est une jeune femme très amusante. Elle était dans mon cours de français l'année dernière. Nous sommes devenues amies très rapidement. Nous avons regardé beaucoup de films français ensemble chez moi ou chez elle.

J'espère qu'elle est disponible pour Noël. Je décide de l'appeler tout de suite.

- Allô ?

- Bonjour, Amy. C'est Alice Hunt au téléphone.

- Quelle surprise ! Comment vas-tu ?

- Très bien, merci. Amy, tu es toujours célibataire ?

- Oui, toujours. Pourquoi ?

- Tu n'es pas végan ?

- Je ne suis pas végan.

- Tu bois du vin ?

- Je bois du vin seulement s'il est bon, dit-elle en riant.

Je pense que j'ai trouvé la bonne personne avec qui partager mon repas de Noël.

- Amy, j'aimerais t'inviter chez moi pour le repas du 24 décembre. Est-ce que tu es disponible ?

- C'est très gentil de penser à moi, mais je ne suis pas à Houston pour Noël.

J'essaie de cacher la déception dans ma voix.

- Vraiment ? Tu es où ? je lui demande.

- Je vais être à Paris.

- À Paris ? je répète d'une voix un peu plus aiguë que ma voix normale.

Quand je suis jalouse, ma voix monte d'une octave. C'est très bizarre.

- Oui, je vais passer Noël avec une famille française.

- Vraiment ?? Une famille française ?

J'ai maintenant la voix d'une soprano.

- C'est un programme organisé par le consulat général de France à Dallas pour développer l'amitié franco-américaine. Le programme s'appelle : *Passez les fêtes chez nous* !

- Raconte-moi !

- L'idée est géniale ! dit-elle. Tu passes les fêtes de fin d'année dans une famille française. Tu es en complète immersion du 23 décembre au 2 janvier.

- C'est cher ?

- C'est gratuit, dit Amy. En plus, tu peux recevoir une petite aide financière du consulat français pour acheter ton billet d'avion.

- C'est vraiment super intéressant.

- Alice, tu veux que je t'envoie des informations sur le programme ? Il y a peut-être une famille qui cherche encore une personne américaine.

- Tu penses ? je dis en croisant les doigts.

EXERCICE DU CHAPITRE 3

Pour développer l'amitié franco-américaine, le consulat général de France à Dallas propose à des Américains de passer Noël dans une famille française. Le programme s'appelle : *Passez les fêtes chez nous !*

Écrire les verbes suivants à l'impératif :

manger

1. mange
2. mangeons
3. mangez

emballer

1. _____
2. _____
3. _____

ouvrir

1. _____
2. _____
3. _____

boire

1. _____
2. _____
3. _____

ranger

1. _____
2. _____
3. _____

CHAPITRE 4

PARIS, LE 23 DÉCEMBRE

La famille qui m'accueille pour les fêtes de fin d'année habite au 85, rue de la Verrerie dans le quatrième arrondissement de Paris. Ils sont cinq : les parents, monsieur et madame Godin, deux filles, Cécile, 24 ans et Sybille, 8 ans, et un garçon, Julien, 14 ans.

Le taxi que j'ai pris à l'aéroport Roissy-Charles de Gaulle me laisse devant un vieil immeuble un peu décrépit. Je sors péniblement de la voiture et attrape ma valise.

Je fais le code 64B45 et je pousse la lourde porte de l'immeuble.

Mes yeux s'habituent à la pénombre. Devant moi, je vois un vieil escalier en bois. Je tâtonne et cherche l'interrupteur pour allumer la lumière.

Il n'y a pas d'ascenseur, alors je monte l'escalier en tirant péniblement ma valise de la main droite. Les marches de l'escalier sont usées et glissantes. Il faut faire attention de ne pas tomber.

Bien sûr, la lumière s'éteint au moment où j'arrive au premier étage. Dans le noir, je tâtonne encore pour trouver l'interrupteur. La lumière s'allume et je continue jusqu'au deuxième étage.

Au deuxième étage, il y a deux portes. La porte de droite est bleue et la porte de gauche est rouge. Sur le paillasson de la porte bleue est écrit Joyeux Hanoukka. Sur le paillasson de la porte rouge est écrit Joyeux Noël.

Je m'approche de la porte rouge. Derrière la porte, je peux entendre deux femmes crier.

- Tu ne veux plus te marier avec lui ?

- Je ne sais pas, maman ! Je ne sais plus...

- Ton père pense que...

Je frappe à la porte et les cris s'arrêtent soudainement. Deux secondes plus tard, la porte s'ouvre.

- Oui ? dit une jeune femme blonde.

Elle a environ vingt ans. Elle porte un pull noir très court et un pantalon orange.

- Bonjour, je m'appelle Alice Hunt. Je viens de Houston.

- Et vous désirez ? elle demande étonnée.

- Je suis Alice Hunt, je répète. J'habite à Houston au Texas et je viens passer Noël avec vous.

La jeune femme me regarde de plus en plus surprise. Est-ce que je me suis trompée d'immeuble ? Je prends mon téléphone pour vérifier que je suis à la bonne adresse.

- Je suis chez monsieur et madame Godin, n'est-ce pas ? je demande timidement.

La jeune femme ferme la porte d'un coup sec. Je l'entends crier.

- Maman, il y a quelqu'un de bizarre à la porte !

La porte s'ouvre une deuxième fois. Devant moi, il y a une femme plus âgée. Elle porte une robe de chambre rose. Elle me sourit.

- Madame Hunt, j'avais complètement oublié que vous arriviez aujourd'hui. Entrez, entrez.

EXERCICE DU CHAPITRE 4

Alice va passer les fêtes de fin d'année chez la famille Godin. Cette famille habite dans un vieil immeuble dans le quartier du Marais.

Le Marais est un quartier de Paris où on trouve presque tout.

Trouvez le mot intrus dans chaque liste.

Liste 1 :
Noël
un traîneau
un cadeau
un champignon

Liste 2 :
une boulangerie
une fromagerie
une fenêtre
une poissonnerie

Liste 3 :

un marteau

une ampoule

un interrupteur

une lumière

Liste 4 :

un sapin

un hêtre

un chêne

un camion

Liste 5 :

une chambre

une chanson

une salle de bain

une cuisine

CHAPITRE 5

La femme me fait entrer dans l'appartement. Le couloir est étroit. Il est recouvert de papier peint bleu foncé. Dans un coin, il y a un porte-manteau sur lequel sont accrochés une veste et un chapeau.

- Bonjour, madame Hunt. Je suis madame Godin. Vous avez fait un bon voyage ?

La jeune femme qui m'avait ouvert la porte regarde madame Godin.

- Maman, tu peux m'expliquer qui est cette femme ?

- Je t'expliquerai plus tard. S'il te plaît, va chercher ta petite sœur à la piscine. Elle doit avoir fini sa leçon maintenant.

- Je ne peux pas. On est mercredi et je vais déjeuner avec Léo.

Madame Godin se tourne vers moi et répète la question.

- Vous avez fait un bon voyage ?

- Oui, merci très bon. J'ai...

Avant de pouvoir finir ma phrase, je vois la jeune femme attraper le chapeau sur le porte-manteau et disparaître en claquant la porte. Madame Godin ouvre la porte et crie :

- Cécile, tu peux appeler ton frère pour lui demander d'aller chercher Sybille à la piscine ?

Mais on n'entend pas de réponse.

- Excusez ma fille Cécile. Elle est un peu stressée en ce moment. Elle va bientôt se marier. En plus, son fiancé change d'avis tout le temps. Un jour, il veut un grand mariage traditionnel avec 300 invités et le jour suivant, il veut un mariage avec seulement quelques amis. Rien n'est encore décidé et le mariage est dans moins de deux mois. C'est très frustrant !

- Je comprends.

- Venez, je vais vous montrer votre chambre.

Je suis madame Godin dans un salon. Au centre de la pièce, il y a un sapin de Noël artificiel. Il est recouvert de guirlandes dorées et de boules de Noël vertes et rouges. Au sommet il y a une grande étoile.

Au pied du sapin, je suis surprise de voir sept paires de chaussures de différentes tailles.

- Nous avons placé nos chaussures au pied du sapin hier soir. Vous pouvez y mettre les vôtres aussi.

- Pourquoi vous faites ça ? je demande.

- C'est une tradition française. Le Père Noël dépose les cadeaux dans la nuit du 24 décembre à côté des chaussures.

- Mais pourquoi sept paires ?

- Nos trois enfants, mon mari et moi, le fiancé de ma fille, Léo, et ma mère. Ça fait sept.

Dans le salon, il y a un grand canapé en cuir et une table basse. Une télévision est en face du canapé.

- Voici votre chambre, dit madame Godin en ouvrant une porte. La chambre est petite mais très confortable. La rue de la Verrerie est bruyante. Je vous conseille de garder la fenêtre fermée.

- D'accord, je dis.

Je pense que je vais ouvrir un peu la fenêtre la nuit. Depuis quelques mois j'ai des bouffées de chaleur à cause de la ménopause. J'ai besoin d'air frais dans ma chambre pour bien dormir.

- Je vous laisse, dit-elle, et quand vous êtes prête, venez dans le salon. Je vais vous faire visiter le reste de l'appartement.

Madame Godin me laisse seule dans la chambre. Aux murs, sont accrochées des affiches de joueurs de football. Je pense reconnaître Kylian Mbappé. Il y a aussi un petit lit et un bureau.

Je pose ma valise sur le bureau. Je l'ouvre et attrape ma trousse de toilette et des vêtements propres.

EXERCICE DU CHAPITRE 5

Dans ce chapitre, Alice fait la connaissance de madame Godin et de sa fille Cécile.

Le verbe **faire** est souvent utilisé en français. Trouvez la traduction correcte de ces expressions avec le verbe faire :

1. faire des économies
a) to save
b) to understand capitalism
c) to cook with potatoes peels

2. faire un tabac
a) to smoke
b) to be successful
c) to open a café

3. faire attention
a) to be proud
b) to be noticeable
c) to be careful

4. faire la sieste
a) to nap
b) to dream
c) to make your bed

5. faire la fête
a) to sulk
b) to party
c) to snore

CHAPITRE 6

Je sors de la chambre. Madame Godin est assise sur le canapé. Elle lit un magazine de mode.

- Excusez-moi, est-ce que c'est possible de prendre une petite douche ? je lui demande. J'ai renversé du vin sur mon pantalon dans l'avion.

- Oui, bien sûr. Dans la salle de bain, il y a un petit meuble blanc. Prenez une serviette à l'intérieur.

- Où est la salle de bain ? je demande.

- La salle de bain est dans le couloir sur la droite.

Dans la salle de bain, il y a un lavabo, une douche et un grand miroir.

Je ferme la porte à clef et commence à me déshabiller. Je pose mes affaires à côté du lavabo. J'ouvre le petit meuble blanc pour y prendre une serviette de bain. Et j'entre dans la douche. L'eau chaude coule sur mon corps. Cela fait du bien. Je suis fatiguée par le voyage.

Je ne peux pas expliquer pourquoi mais je ne me sens pas complètement confortable ici. Tout à coup, je vois la poignée de la porte bouger. Mon cœur s'arrête.

- Je peux entrer ? J'ai besoin de faire pipi, dit une petite voix.

Cela doit être la petite fille qui rentre de la piscine.

- Une minute, je dis rassurée. J'ai bientôt terminé.

Je sors rapidement de la douche. Je m'essuie. Je m'habille avec des vêtements propres. J'enroule la serviette autour de mes cheveux. Je prends ma trousse de toilette et mes vêtements sales. J'ouvre la porte.

Derrière la porte, une petite fille me regarde avec de grands yeux verts. Ses longs cheveux roux sont mouillés et sentent un peu le chlore de la piscine.

- Bonjour, me dit-elle. Je m'appelle Sybille.

- Bonjour, je réponds. Je m'appelle Alice.

- Alice comme Alice au pays des merveilles ?

- Oui, c'est ça.

- C'est mon livre préféré, dit-elle avant d'entrer dans la salle de bain et de fermer la porte à clé.

EXERCICE DU CHAPITRE 6

Alice fait la connaissance de Sybille. Son livre préféré est Alice au pays des merveilles. Dans ce livre, il y a beaucoup d'animaux.

Trouvez le bon verbe pour finir les phrases. Ensuite, traduisez les phrases.

1. Alice et le lièvre _____ le thé.
a) prend
b) prenons
c) prennent

_____

2. Alice et la chenille _____ amies.
a) son
b) sont
c) s'ont

_____

3. Le loir _____ fatigué.
a) ai
b) est
c) es

_____

4. La souris _____ français.

a) parles

b) parle

c) parlent

_____

5. Le bébé s'_____ _____ en cochon.

a) es transformé

b) est transformé

c) ai transformé

_____

CHAPITRE 7

Madame Godin est encore assise sur le canapé quand je sors de la salle de bain.

- J'espère que vous allez être bien dans notre famille, me dit-elle.

- Merci.

- Je suis désolée pour ma fille Cécile. J'ai oublié de la prévenir de votre arrivée.

- Pas de problème.

- Venez, je vais vous faire visiter le reste de notre appartement.

Madame Godin se lève. Elle est toujours en robe de chambre. Il est maintenant presque midi.

- Ici, nous sommes bien sûr dans le salon. Vous connaissez aussi la salle de bain, me dit-elle.

À l'autre extrémité du couloir, il y a une grande cuisine. Dans cette pièce, je vois une table avec six chaises, un frigo, un évier et une cuisinière.

Madame Godin ouvre une autre porte.

- Voici la chambre de ma fille Sybille.

Les murs sont décorés de jolis dessins de planètes. Mais le sol est recouvert de vêtements, de chaussettes, de livres et aussi d'un maillot de bain mouillé.

- Excusez le désordre. Ma fille Sybille n'est vraiment pas douée pour ranger sa chambre.

Nous traversons la chambre de Sybille et ouvrons une deuxième porte qui, cette fois, donne dans la chambre des parents, monsieur et madame Godin. La chambre est très bien rangée.

- Pour aller dans votre chambre, il faut traverser la chambre de votre fille Sybille ? je lui demande.

- Oui, cela s'appelle des chambres en enfilade. C'est très commun dans les vieux immeubles parisiens.

- Votre fille Cécile n'habite pas chez vous ?

- Non, elle habite avec son fiancé Léo dans un appartement à côté, au 87 rue de la Verrerie.

- Et où se trouve votre fils Julien ?

- Pendant votre visite, Julien va dormir chez ma mère. Elle habite au troisième étage, juste au-dessus de notre appartement.

À cet instant, on entend deux coups frappés au plafond. Boum. Boum.

Madame Godin lève la tête. Le chandelier de la chambre tremble un peu.

- C'est ma mère. Elle m'appelle pour le déjeuner. Avec sa canne, elle donne deux coups sur le plancher de son appartement. Tous les mercredis, je mange avec elle. Avant, c'était le jour de Cécile. Mais depuis qu'elle est fiancée avec Léo, Cécile ne déjeune plus avec sa grand-mère.

- C'est vraiment dommage, je dis.

EXERCICE DU CHAPITRE 7

Dans ce chapitre, on apprend que la grand-mère habite un appartement juste au-dessus de celui de monsieur et madame Godin.

Complétez les phrases avec celui, celle, ceux et celles.

1. J'aime cette chambre, mais je préfère _____ de Julien.

2. Les murs de la chambre de Sybille sont bleus, _____ de la chambre de Julien sont verts.

3. Ma chambre est plus grande que _____ de mes parents.

4. Les vêtements de Sybille sont sur le sol, _____ de Julien sont dans son armoire.

5. Mes chaussures sont blanches, _____ de madame Godin sont violettes.

CHAPITRE 8

La petite Sybille m'arrête dans le couloir.

- Bonjour, vous habitez à Houston ?

- Oui, à Houston au Texas.

- C'est à côté de Houston qu'il y a la NASA, non ? J'aimerais bien y aller un jour.

- Est-ce que tu aimes les étoiles, Sybille ? Et les planètes ?

- Oui. Ma planète préférée est Saturne. Vous voulez entendre une blague ?

- Je t'écoute.

- Est-ce que vous savez pourquoi les astronautes sont toujours de mauvaise humeur ?

- Non. Je ne sais pas. Pourquoi ?

- Parce qu'ils sont toujours mal lunés.

Je ris, mais je n'ai rien compris. Il faut que je cherche l'expression « être mal luné » pour comprendre cette blague.

- Je vais aller me promener, je dis. J'ai besoin de prendre l'air, à tout à l'heure ?

- Oui, à tout à l'heure.

Je referme la porte de l'appartement et commence à descendre l'escalier. Je dois me tenir à la rambarde. Les marches de cet escalier sont vraiment glissantes.

Je sors de l'immeuble et je prends à droite. Il y a beaucoup de gens dans les rues, des jeunes, des vieux, des femmes, des hommes... Selon moi, le Marais est le quartier le plus hétéroclite de Paris.

Il y a des petites lumières de Noël partout. Les vitrines des magasins sont très bien décorées. Je passe devant le BHV, un de mes magasins préférés, et décide d'aller prendre un café au cinquième étage.

J'entre dans le grand magasin. Je trouve l'escalier mécanique et commence à monter les étages. Le grand magasin est bondé. Il est plein comme un œuf. Je dois jouer des coudes pour avancer.

C'est la frénésie du shopping à Noël. Le haut-parleur du magasin propose une promotion de moins 20 pour cent sur les parfums, moins 15 pour cent sur les foulards, moins 30 pour cent sur les sacs.

Au cinquième étage, il y a un café. Je commande un café express pour me réveiller.

Je prends ma tasse et je m'installe à côté des grandes fenêtres. Le ciel est gris. Les toits des immeubles sont gris, mais c'est très beau. Sur ma droite, je peux voir la mairie de Paris.

Pour la première fois, je réalise que j'ai beaucoup de chance d'être à Paris à Noël.

Après mon café, je descends au rayon papeterie. J'achète un stylo et un carnet. Je m'offre aussi une petite tour Eiffel argentée pour l'accrocher sur mon sapin de Noël.

Cette décoration sera le souvenir de ce voyage à Paris.

EXERCICE DU CHAPITRE 8

Alice va au BHV pour prendre un café express et faire quelques achats. Le Bazar de L'Hôtel de Ville (BHV) se trouve dans le Marais à côté de la mairie de Paris. C'est un de mes magasins préférés.

Traduisez ces mots. Ensuite, trouvez les deux objets que l'on ne peut pas acheter au BHV.

1. Un couteau à huître
2. Un orteil
3. Une pelote de laine
4. Une paire de moufles
5. Un coffre-fort
6. Un caniche
7. Un soutien-gorge
8. Une paire de jumelles
9. Un tapis
10. Une louche

CHAPITRE 9

Je reviens chez la famille Godin en fin d'après-midi. Selon ma montre, j'ai fait 28 378 pas. Je suis fatiguée. Et malgré le café, j'ai envie de dormir.

Je frappe à la porte d'entrée. Un homme ouvre la porte.

- Bonjour, madame Hunt. Je suis monsieur Godin. Bienvenue chez moi, dit-il en souriant.

Monsieur Godin a environ 55 ans. Il porte une chemise jaune clair et un pantalon noir. Ses dents sont très blanches.

- Entrez, je vous prie, dit-il.

L'appartement sent bon la tarte aux pommes. J'entre dans le couloir et jette un coup d'œil dans la cuisine. Madame Godin fait la vaisselle.

- Vous avez passé un bon après-midi ? me demande-t-elle.

- Oui, merci.

- J'ai fait une tarte aux pommes pour ce soir. Vous aimez la tarte aux pommes ?

- J'adore ça ! Est-ce que je peux vous aider ?

- Non merci, j'ai terminé.

Madame Godin met les épluchures des pommes dans la poubelle.

- Qu'est-ce que vous avez fait à Paris cet après-midi ?

- J'ai fait les boutiques, je réponds. J'ai marché jusqu'à la place des Vosges. Je suis passée aussi devant le centre Pompidou. Et j'ai pris un café au BHV.

- Est-ce que vous avez acheté quelque chose ?

- J'ai acheté une crème pour les mains à la lavande, un stylo, un carnet et une décoration de Noël en forme de tour Eiffel. Je vais poser mes achats dans la chambre.

- Revenez vite. Nous allons prendre l'apéritif.

Après avoir mis mes achats sur le lit, je retourne dans le salon. Sur la table basse, il y a une bouteille de champagne et un bol avec des olives vertes.

La télévision est allumée.

- Vous connaissez ce film ? me demande monsieur Godin, qui arrive avec des flûtes à champagne.

- Non. Comment s'appelle-t-il ?

- Le film s'appelle *Le père Noël est une ordure*. C'est un film qui passe à la télévision tous les Noëls. C'est super drôle. Je connais les dialogues par cœur. Je n'ai même plus besoin de mettre le son, dit monsieur Godin en souriant.

Tout à coup, on entend la porte d'entrée s'ouvrir. Un courant d'air froid entre dans le salon. Le sourire de monsieur Godin disparaît immédiatement.

- Voici ma belle-mère, dit-il. La fête est finie !

EXERCICE DU CHAPITRE 9

Alice fait la connaissance de monsieur Godin, un homme de 55 ans environ avec des dents très **blanches**.

Complétez ces phrases en écrivant les noms des couleurs avec la bonne orthographe.

1. Au BHV, j'ai vu beaucoup de robes _____ . (noir)
2. La barbe du père Noël est _____ . (blanc)
3. Les vêtements du père Noël sont _____ . (rouge)
4. Mon béret et mon foulard sont _____ . (violet)
5. Ce n'est pas facile de trouver une robe _____ . (marron)
6. La coquille des huîtres est _____ . (gris)
7. Mon caniche est _____ . (orange)
8. Mon soutien-gorge est _____ . (rose)

CHAPITRE 10

- L'Américaine est arrivée ? demande la grand-mère en entrant dans le salon.

Elle s'arrête d'un coup en regardant son gendre.

- Philippe, il y a une tache sur votre chemise, dit-elle en montrant un point microscopique sur le col. Vous savez que je ne supporte pas les taches.

- Oui, belle-maman, dit-il comme un petit garçon obéissant.

La grand-mère est grande et mince. Elle marche tête haute comme une danseuse. Elle est habillée tout en blanc. Elle tient une canne en ivoire dans la main droite. Elle est accompagnée par un petit chien, blanc lui aussi.

- Bonjour. Je m'appelle Alice Hunt et je viens du Texas. Merci de m'accueillir chez vous. Je suis contente de passer Noël dans votre famille.

- J'espère que vous n'avez pas emporté d'armes à feu avec vous, me demande-t-elle. Les Texans sont un peu timbrés avec leurs armes.

- Timbré ? Je ne connais pas cet adjectif. Qu'est-ce que ça veut dire ? je lui demande.

- « Ils sont timbrés » veut dire « ils sont fous. »

- C'est vrai. Nous sommes un peu timbrés, je dis en riant.

Madame Godin entre dans le salon.

- Bonjour, maman. Julien n'est pas avec toi ?

- Non, il range le bazar qu'il a laissé dans mon salon, dit la grand-mère en tapant le sol avec sa canne.

- Cécile et Léo vont arriver un peu plus tard pour le dîner, dit madame Godin en regardant sa montre.

Sybille arrive dans le salon. Elle a un livre à la main. Monsieur Godin attrape la bouteille de champagne.

- Je viens de réaliser que je n'ai pas fait les présentations, dit-il. Excusez mon impolitesse, madame Hunt. Permettez-moi de vous présenter ma charmante belle-mère, madame Colette Ricard, et son gentil chien, Javel.

La grand-mère tape le sol avec sa canne.

- Arrêtez avec vos compliments hypocrites, Philippe. J'ai soif, ordonne-t-elle. Ouvrez vite cette bouteille de champagne pour fêter l'arrivée de l'Amerloque.

Monsieur Godin verse du champagne dans les 5 flûtes. La petite Sybille aussi a le droit à son verre de champagne.

- Les enfants peuvent boire de l'alcool en France ? je demande.

- Cela fait partie de l'éducation, répond madame Ricard. C'est important d'éduquer les jeunes au bon vin.

- Je comprends, je dis.

- C'est aussi important que de savoir faire des additions ou des divisions. Bien sûr, chez vous, les enfants boivent du coca-cola, dit-elle en levant les yeux au ciel.

Monsieur Godin distribue les flûtes de champagne.

- Levons notre verre à un Noël qui sera, j'espère, réussi ! dit madame Godin.

- Et à l'amitié franco-américaine, ajoute monsieur Godin.

Nous levons nos flûtes et buvons le champagne dans un silence religieux.

Tout à coup, on entend la porte d'entrée s'ouvrir et des voix dans le couloir.

- Hello, hello, dit une voix d'homme. Where is ze Americane lady ?

- Ça c'est Léo, dit Sybille en vidant sa flûte à champagne.

EXERCICE DU CHAPITRE 10

Alice boit une coupe de champagne avec sa nouvelle famille française.

Est-ce que vous pouvez répondre correctement à ces questions sur le champagne ?

1. Quels sont les trois cépages traditionnellement utilisés pour le champagne ?
a) Chardonnay, Pinot Noir et Meunier
b) Chardonnay, Muscat, Merlot
c) Chardonnay, Riesling, Sauvignon

2. Quelle est la vitesse d'un bouchon de champagne à l'ouverture de la bouteille ?
a) 12 km/h
b) 40 km/h
c) 50 km/h

3. À quelle température un champagne doit-il être servi ?
a) Entre 39 et 44°F, 4°C-7°C
b) Entre 32 et 37°F, 0°C-3°C
c) Entre 46 et 51°F, 8°C-10°C

4. Que signifie « sabrer le champagne » ?

a) Mettre la bouteille de champagne dans du sable

b) Ouvrir la bouteille avec un sabre

c) Boire sa coupe de champagne d'un coup

CHAPITRE 11

Nous sommes dans la cuisine : madame Godin, Cécile et son fiancé Léo, la petite Sybille, la grand-mère, le chien Javel et moi. Monsieur Godin arrive quelques instants plus tard. Il porte maintenant une chemise blanche.

- On a des nouvelles de Julien ? Il mange avec nous ? demande monsieur Godin.

- Non, il vient de me texter, dit Cécile. Il préfère manger avec un pote.

La grand-mère tape le sol avec sa canne.

- Avec un ami, corrige-t-elle. Nous avons une invitée qui apprend le français ici.

La grand-mère tape le sol une seconde fois avec sa canne. Son chien Javel aboie.

- Vous devez être plus sévère avec votre fils, dit-elle. Ce jeune garçon fait ce qu'il veut.

Sybille et sa sœur se regardent et commencent à mettre la table. Elles placent sept assiettes sur la table.

- Le couteau à droite, la fourchette à gauche, le couteau à droite, la fourchette à gauche, répète la petite Sybille.

- Il manque une chaise, remarque monsieur Godin. Je vais prendre la chaise dans la chambre de Sybille si je peux en trouver une dans ce bazar.

Cécile cherche son fiancé du regard.

- Léo ? Tu peux aller me chercher mon gilet à la maison ? J'ai froid.

Léo est un homme grand et fin. Il est bronzé, ce que je trouve un peu bizarre, car nous sommes au mois de décembre à Paris. Au poignet, il porte une grosse montre en or.

- Bien sûr, ma chérie, dit-il en regardant sa montre. Commencez à manger sans moi. Je reviens dans 5 minutes.

Léo ouvre la porte d'entrée et disparaît.

- Mangeons, dit madame Godin en posant sur la table un poulet et un plat de gratin dauphinois.

Nous nous asseyons tous les six autour de la table. Monsieur Godin et madame Ricard sont en tête de table. Moi, je suis entre madame Godin et Sybille. En face de moi, il y a Cécile et la chaise vide de Léo.

- J'espère que vous aimez le poulet, me dit monsieur Godin.

- J'adore le poulet !

- Vous aimez les huîtres aussi ? demande Sybille. Demain il y aura des huîtres pour le dîner de Noël.

- Pour être honnête, je ne suis pas une grande fan d'huîtres, je dis poliment. Je préfère les coquilles Saint-Jacques.

Nous commençons à manger en silence. C'est un vrai plaisir pour moi d'observer ces trois générations partager un bon dîner.

- Léo a une nouvelle montre en or, n'est-ce pas ? demande monsieur Godin à Cécile. Quand l'a-t-il achetée ?

EXERCICE DU CHAPITRE 11

C'est l'heure du dîner ! Toute la famille, à l'exception de Julien, va manger du poulet avec un gratin dauphinois.

Trouvez la bonne traduction de ces épices et herbes aromatiques :

1. La cannelle
a) clove
b) bay leaf
c) cinnamon

2. les graines de coriandre
a) cardamom
b) oregano
c) coriander seeds

3. la noix de muscade
a) nutmeg
b) bay leaf
c) cumin

4. feuille de laurier
a) rosemary
b) bay leaf
c) ginger

5. le clou de girofle

a) clove

b) nutmeg

c) garlic

CHAPITRE 12

L éo ouvre la porte d'entrée. Il tremble de froid.

- J'aurais dû mettre ma veste, nous dit-il. Il fait super froid dehors.

- Vous en avez mis du temps, lui dit son futur beau-père. On a presque terminé de manger.

Léo pose le pull sur les épaules de Cécile.

- Tiens, ma chérie.

- Merci, lui dit-elle.

- De rien, mon amour, répond-il.

Madame Godin se lève pour apporter à son futur gendre une assiette avec du blanc de poulet et une part de gratin dauphinois.

Léo avale son repas en moins de deux minutes. Nous le regardons manger.

- C'est délicieux, dit-il.

Léo rote, puis il s'essuie la bouche avec sa serviette. Il me regarde intensément. Je peux deviner qu'il meurt d'envie de me parler. Il boit un peu de vin et il commence.

- What is ze political situation in ze United States today ? dit-il.

- Je préfère parler en français, je lui dis.

- I completely understand, ajoute Léo. But I love to speak English whenever I have the opportunity. It's such a great language...

Madame Ricard le regarde avec des yeux noirs. Elle tape le sol avec sa canne. Javel ouvre un œil, puis le ferme.

- Léo, arrêtez de parler anglais à table. Vous êtes ridicule, dit-elle. Et c'est mal poli. Je ne comprends pas l'anglais.

- Moi non plus, dit madame Godin. Je ne parle pas anglais.

- Et moi non plus, dit monsieur Godin. Je ne sais pas parler anglais.

Madame Godin coupe un morceau de fromage et le met dans son assiette.

- Parlons plutôt du mariage, dit-elle d'une voix un peu forte. Vous avez pris une décision pour la réception ?

- Not yet, dit Léo.

- Est-ce que je dois réserver un château ou est-ce que l'on fait le mariage dans notre salon ? demande-t-elle frustrée.

- Ma chérie, ma chérie, dit monsieur Godin. On ne va pas parler du mariage devant notre invitée. Tu vas t'énerver.

- Tu as raison, dit-elle résignée.

Madame Godin se lève et sort une merveilleuse tarte aux pommes du four.

EXERCICE DU CHAPITRE 12

Dans ce chapitre, Léo essaie de parler anglais avec Alice.

Et madame Godin essaie d'organiser un mariage.

Essayez de conjuguer le verbe « essayer » au présent, au passé composé et au futur.

Au présent (il y a deux orthographes possibles)
j'
tu
elle
nous
vous
elles

Au passé composé
j'
tu
elle
nous
vous
elles

Au futur (il y a deux orthographes possibles)
j'

tu
elle
nous
vous
elles

CHAPITRE 13

- Can I have some wine ? demande Léo à son futur beau-père.

Monsieur Godin le regarde avec des grands yeux. Il ne comprend vraiment rien à la langue de Shakespeare.

- May I have some wine ? répète Léo.

Léo commence à m'énerver à parler anglais tout le temps. Pour une fois que j'ai la chance de passer quelques jours dans une famille qui ne parle pas un mot d'anglais. Il ne va pas gâcher mon séjour !

- Vous voulez un autre verre de vin, madame Hunt ? me demande monsieur Godin.

- Oui, merci beaucoup.

Monsieur Godin me verse un verre de vin. Malheureusement en l'attrapant, je le fais tomber. Il y a du vin rouge sur la nappe.

- Je suis désolée, je dis.

- Don't worry, dit Léo.

- Ça ne fait rien. Vous devez être fatiguée par le voyage, dit madame Godin sans prêter attention à son gendre.

- Mettez vite du gros sel sur la tache de vin, ordonne la grand-mère.

- Ma belle-mère connaît beaucoup d'astuces pour enlever les taches, dit monsieur Godin en regardant bizarrement Léo.

- Il a raison pour une fois, ajoute la grand-mère. Je connais toutes les astuces pour faire partir les taches. Les taches de curcuma, de chocolat, de vin…. et même les taches de sang.

Madame Godin met la main sur le bras de sa mère.

- Maman a travaillé à l'opéra de Paris dans les années 80 et 90. Elle était responsable du nettoyage des costumes. C'était une grande responsabilité. Les costumes de l'Opéra de Paris sont de vraies œuvres d'art. Il faut les nettoyer sans les abîmer.

La vieille dame donne un petit morceau de gruyère à son chien.

- Est-ce que vous saviez que certains costumes étaient nettoyés avec un mélange d'eau et de vodka ? demande madame Ricard en souriant.

C'est la première fois que je la vois sourire.

- Madame Hunt, si vous faites une tache sur votre chemisier, continue-t-elle, venez me voir.

- C'est promis, je réponds.

- Wicked, dit Léo.

Nous le regardons et levons tous les yeux au ciel.

EXERCICE DU CHAPITRE 13

Dans ce chapitre, on apprend que madame Ricard, la grand-mère, a travaillé à l'opéra de Paris.

Qui a composé les opéras suivants ?

1. Turandot
a) Strauss
b) Poulenc
c) Puccini

2. La flûte enchantée
a) Debussy
b) Mozart
c)Rossini

3. Le barbier de Séville
a) Mozart
b) Rossini
c) Donizetti

4. Carmen
a) Wagner
b) Bizet
c) Verdi

5. Les noces de Figaro

a) Mozart

b) Puccini

c) Verdi

CHAPITRE 14

Après le repas, monsieur et madame Godin partent dans le salon regarder la télévision. Madame Ricard monte dans son appartement, car la télévision la déprime. Léo et Cécile rangent la cuisine.

Sybille m'invite dans sa chambre pour me montrer ses dessins.

Sybille, qui était très silencieuse pendant le repas, est très bavarde dans sa chambre. Elle me bombarde de questions.

- Est-ce que vous avez des enfants ? me demande-t-elle.

- Non.

- Pourquoi ?

- Parce que je n'ai pas trouvé un bon papa pour faire un enfant.

- Mais vous n'avez pas besoin d'un papa. Vous pouvez utiliser la procréation médicalement assistée.

- C'est vrai, mais... c'est... c'est trop cher.

J'aurais dû lui dire la vérité. J'aurais dû lui dire que je n'aime pas beaucoup les enfants.

- Est-ce que vous avez un chien ?

- Non, je n'ai pas de chien.

- Pourquoi ?

- Parce qu'ils mettent des poils partout.

- Est-ce que vous avez un chat ?

- Non, je n'ai pas de chat.

- Pourquoi ?

- Pour la même raison. Parce qu'ils mettent des poils partout.

- Est-ce que vous avez un cheval ?

- Non, parce que j'ai peur des chevaux.

- Est-ce que vous avez un pistolet ?

- Non, parce que j'ai très, très peur des armes à feu.

- Est-ce que vous portez un chapeau de cowboy et des bottes de cowboy ?

- Oui, quand je vais danser.

- Pourquoi est-ce que vous apprenez à parler français ?

- Parce que je trouve le français très joli et que j'aime la culture française.

Cette petite fille est très curieuse. Pour une bibliothécaire comme moi, c'est un vrai plaisir de parler avec une petite fille curieuse.

Si j'avais un enfant, j'aimerais avoir un enfant comme elle.

EXERCICE DU CHAPITRE 14

Sybille est une petite fille curieuse. Elle pose beaucoup de questions.

Trouvez la question qui va avec la réponse.

1. Réponse : Le dessin est sur le mur.
a) Où est le dessin ?
b) Dans quelle pièce est situé le dessin ?
c) Qui est l'auteur de ce dessin ?

2. Réponse : Madame Ricard a travaillé à l'opéra de Paris.
a) Quel âge a madame Ricard ?
b) Est-ce que madame Ricard a voyagé à Paris ?
c) Où a travaillé madame Ricard ?

3. Réponse : Oui, je parle français.
a) Est-ce que vous parlez la langue de Shakespeare ?
b) Est-ce que tu parles japonais ?
c) Est-ce que tu parles une autre langue que l'anglais ?

4. Réponse : Cécile et Léo rangent la cuisine.
a) Qu'est-ce qu'ils font ?
b) Qu'est-ce qu'elles font ?
c) Qu'est-ce qu'il fait ?

5. Réponse : Madame Ricard est dans son appartement.

a) Pourquoi madame Ricard est dans son appartement ?

b) Comment madame Ricard est dans son appartement ?

c) Où est madame Ricard ?

CHAPITRE 15

À moi maintenant de te poser des questions, je dis à Sybille.

- D'accord, dit-elle. Je vous écoute.

- Quelle question est-ce que je peux te poser ?

- Est-ce que tu crois au Père Noël ? Tous les adultes me posent la même question.

Cette petite fille est vraiment intelligente.

- Très bien, alors Sybille, est-ce que tu crois au Père Noël ?

- Non ! dit-elle.

- Vraiment ?

- Je ne crois plus au Père Noël depuis que j'ai 5 ans, dit-elle fièrement, mais ne dites rien à mes parents. Ils vont être déçus. Ils ne savent pas la vérité.

- C'est promis. Je ne dirai rien à tes parents.

Je regarde les dessins de Sybille accrochés au mur. Il y a des dessins de planètes. Ils sont très jolis. Près de la fenêtre, il y a un dessin qui attire mon attention. C'est un dessin de sa famille.

- Est-ce que c'est ta sœur Cécile ici ? je lui demande en montrant une femme avec une jupe un peu courte.

- Oui, c'est elle. À sa droite, c'est Léo et à sa gauche, c'est papa.

Je remarque que Léo et monsieur Godin portent tous les deux une longue blouse blanche.

- Pourquoi sont-ils habillés avec les mêmes vêtements sur ton dessin ?

- Ils portent une longue blouse blanche parce qu'ils sont dentistes tous les deux. Ils travaillent ensemble.

- Vraiment ? Je ne le savais pas. C'est sympathique de travailler en famille.

- Je ne crois pas, dit-elle. Papa n'est pas content. Je l'ai entendu parler avec maman dans leur chambre. Il pense que Léo vole de l'argent au travail.

Je ne dis rien et je continue à observer le dessin.

- Et ici ? C'est Julien ? je dis en montrant un autre personnage sur le dessin.

- Oui, c'est mon frère Julien.

- Qu'est-ce qu'il fait ?

- Il regarde sur son téléphone.

- Et ici ? je demande en montrant deux femmes.

- Elle, c'est maman et elle, c'est mamie avec Javel.

- J'adore tes dessins Sybille. Tu es très douée.

C'est fou comme on peut apprendre de choses grâce aux dessins des enfants.

EXERCICE DU CHAPITRE 15

Trouvez le mot secret !

Répondez à ces quatre questions et écrivez ici la première lettre de chaque réponse pour trouver le mot secret :

— — — —

1. C'est le contraire de oui.

— — —

2. C'est un petit fruit vert ou noir que l'on mange à l'apéritif.

— — — — —

3. Mettre du papier autour d'un cadeau avant de l'offrir. (Un verbe)

— — — — — — —

4. C'est le prénom du fiancé de Cécile.

— — —

Un indice :

Pendant cette période de l'année, je bois beaucoup de champagne.

CHAPITRE 16

LE 24 DÉCEMBRE À 8 HEURES DU MATIN

Le lendemain matin, en me réveillant, je me demande où je suis. Je regarde autour de moi. Je suis dans un lit à une place. La housse de couette est imprimée avec des ballons de football. Sur le mur, les joueurs Zinédine Zidane et Cristiano Ronaldo me regardent.

Je me souviens maintenant que je suis dans la chambre de Julien Godin. Je ne l'ai pas encore rencontré. Il doit me détester d'avoir pris sa chambre pour Noël.

Je me lève et je sors de la chambre. Sur la table basse du salon, il y a les flûtes à champagne et la bouteille vide.

Je peux entendre madame Godin chanter dans la cuisine.

- Petit Papa Noël, quand tu descendras du ciel, avec tes jouets par milliers, n'oublie pas mes jolis souliers...

- Bonjour ! je dis en entrant dans la cuisine.

Madame Godin sursaute.

- Oh, vous m'avez fait peur, dit-elle en mettant une main sur son cœur. Bonjour, vous avez bien dormi ?

- Très bien, merci. J'aime beaucoup la chanson que vous chantez. Comment elle s'appelle ?

- La chanson s'appelle Petit Papa Noël.

Madame Godin reprend la chanson. Elle a une belle voix.

> *Petit Papa Noël*
> *quand tu descendras du ciel*
> *avec des jouets par milliers*
> *n'oublie pas mes jolis souliers.*
> *Mais avant de partir*
> *il faudra bien te couvrir*
> *dehors tu vas avoir si froid*
> *c'est un peu à cause de moi.*

- C'est une très jolie chanson. Je pense que je comprends les paroles sauf le mot soulier. Qu'est-ce que soulier veut dire ?

- Les souliers sont des chaussures, m'explique madame Godin. C'est un mot qui n'est plus très utilisé aujourd'hui.

- Je comprends. Merci pour cette explication.

- Mais de rien.

- Alors après le petit déjeuner, je dois mettre mes souliers sous le sapin de Noël.

- Exactement. C'est important si vous voulez un cadeau du Père Noël ! Vous avez été sage cette année, Alice ? me demande-t-elle.

- Sage ?

- Vous n'avez pas fait de bêtises ?

Je réfléchis un instant.

- J'ai été très sage cette année.

- Alors, vous allez avoir un beau cadeau pour Noël, dit-elle.

EXERCICE DU CHAPITRE 16

C'est le 24 décembre !!

Ce soir, toute la famille va fêter Noël.

Voici un petit test sur Noël. Connaissez-vous les réponses ?

1. En France, quel est le plat traditionnel de Noël ?
a) la fondue au fromage
b) la dinde aux marrons
c) le lapin à la moutarde

2. Qui aide le père Noël à fabriquer les jouets ?
a) la petite souris
b) Cendrillon
c) les lutins

3. Quel arbre est-ce que l'on décore à Noël ?
a) un chêne
b) un pommier
c) un sapin

4. Qu'est-ce que le père Noël utilise pour se déplacer ?
a) un scooter
b) un avion
c) un traîneau

5. Quel accessoire n'a pas de lien avec Noël ?

a) un traîneau

b) un coffre-fort

c) une barbe blanche

CHAPITRE 17

- Vous voulez du thé ou du café pour votre petit déjeuner ? me demande madame Godin.

- Je voudrais un thé, s'il vous plaît.

- Et pour manger ? Des tartines grillées avec du beurre et de la confiture ?

- Oui c'est parfait, merci. Je n'ai pas l'habitude de me faire servir.

- C'est normal. Vous êtes mon invitée.

Madame Godin coupe un bout de baguette de cinq centimètres environ. Elle le coupe encore en deux dans le sens de la longueur. Et elle met les deux morceaux dans le grille-pain.

- Je peux vous poser une question ? je lui demande.

- Bien sûr.

- Je voudrais savoir pourquoi vous avez invité une Américaine chez vous pour Noël.

Madame Godin me regarde.

- C'est une idée de ma mère. Elle connaît le consul de Dallas. C'est un ami. C'est un passionné d'opéra. Récemment, lors d'une conversation téléphonique, il lui a parlé du programme *Passez les fêtes chez nous !* Elle a trouvé l'idée originale et elle m'en a parlé. En plus, je dois dire que votre présence me change les idées. Je ne pense plus au mariage de Cécile.

Madame Godin pose les tartines grillées sur la table avec une plaquette de beurre et un pot de confiture de fraises.

- Aujourd'hui est une journée importante, dit-elle. C'est le réveillon de Noël !

Elle me regarde droit dans les yeux.

- Nous allons manger du canard. Mes filles n'aiment pas le plat traditionnel de Noël, la dinde aux marrons. Vous aimez le canard ?

- Oui beaucoup.

- Parfait. Comme entrée, nous aurons des huîtres et du foie gras. Et pour le dessert, nous dégusterons une bûche de Noël.

- Je peux vous aider à préparer le repas ?

- Non, vous êtes notre invitée. Profitez de Paris. La ville est si belle à Noël.

Je décide de suivre son conseil. Après ce petit déjeuner gargantuesque, je m'habille avec des vêtements chauds et je sors.

EXERCICE DU CHAPITRE 17

Complétez les phrases suivantes avec le bon verbe.

1. La grand-mère _____ le consul de Dallas.
a) connaît
b) savait

2. Il _____ l'opéra.
a) adore
b) adores

3. Il _____ à Paris dans les années 90.
a) a travaillé
b) a travailler

4. _____ les fêtes chez nous !
a) Passé
b) Passez

5. Ce soir, ils _____ manger du canard.
a) vontent
b) vont

6. Alice _____ aider madame Godin à préparer le dîner.

a) veut

b) veux

CHAPITRE 18

Je marche dans les rues du quartier : rue des Rosiers, rue Vieille-du-Temple, rue des Francs-Bourgeois. Je vois des clubs gays, des boutiques de vêtements branchés, des pâtisseries japonaises, des restaurants libanais, des synagogues...

Près du pont Marie, j'aperçois Cécile Godin. Elle parle avec un jeune homme. Il porte un survêtement vert et bleu. Il parle de façon animée. Il essaie de lui prendre le bras, mais elle ne veut pas.

Étrange, ce n'est pas Léo.

Je ne veux pas qu'elle me voie, alors je change de rue et traverse l'île Saint-Louis. Je passe devant l'institut du monde arabe et devant l'université de Jussieu. Et plusieurs rues plus tard, je suis devant une mosquée. Elle ressemble à celles que l'on peut voir dans les livres de voyage sur le Maroc, avec des décorations orientales et un toit en forme de dôme. Je m'approche. Sur la droite, je vois un restaurant, un salon de thé et aussi un hammam réservé aux femmes.

Je décide d'entrer dans le hammam pour voir. Je passe par une petite porte en bois sculptée. Derrière la porte, il y a une grande salle superbement décorée. Je suis dans un autre pays.

Une femme me souhaite la bienvenue. Elle me montre les différentes options : bain vapeur, bain vapeur plus gommage, bain vapeur plus gommage plus massage, bain vapeur plus gommage plus massage plus thé à la menthe. Tout semble merveilleux.

Je me laisse tenter. Je choisis la formule bain vapeur, gommage et thé à la menthe à 50 euros. Elle me donne un gant jaune, des sandales en plastique rose, une serviette de bain et un petit savon vert.

- C'est du véritable savon de Marseille, me dit-elle. Il n'y a pas mieux pour nettoyer la peau !

Elle me montre le vestiaire avec la main.

- Commencez par vous déshabiller là-bas.

- Merci, madame, je lui dis.

Le vestiaire est long et étroit. Je me déshabille rapidement en gardant ma culotte et mon soutien-gorge. Malheureusement, je n'ai pas de maillot de bain.

Je mets la serviette de bain autour de ma taille et pousse une porte. J'entre dans une grande salle chaude et humide. Le sol est couvert de carrelage bleu, orange et noir. C'est très beau. La chaleur humide enveloppe mon corps. Je m'assieds sur un banc et j'observe.

Autour de moi, il y a des femmes, beaucoup de femmes. Certaines parlent, certaines rient, certaines regardent comme moi ce décor de mosaïques orientales. Je reste plusieurs minutes sans bouger.

Je mets le savon sur mes bras, mon ventre, mes jambes et mes pieds. Il sent l'huile d'olive. J'adore cette odeur. Et je vais ensuite prendre une douche. Je fais attention à ne pas tomber. Ce n'est pas facile. Le savon de Marseille rend mes pieds très glissants.

Après une longue douche, une femme me demande de m'allonger sur une table en marbre. Elle prend mon gant jaune et commence à le passer sur mon corps. Le gant est râpeux comme une langue de chat. Ce n'est pas agréable.

- Est-ce que vous pouvez frotter moins fort ? je supplie la femme.

- Non, répond-elle. Pour enlever les peaux mortes, il faut frotter et frotter dur.

Je suis contente quand le gommage s'arrête. J'ai la peau en feu.

Je vais m'assoir ensuite dans la salle de repos. La lumière est douce. Je suis calme et reposée. Une femme m'apporte un thé à la menthe dans un petit verre.

Je suis bien, mais il faut bientôt que je rentre. Le réveillon de Noël est ce soir.

EXERCICE DU CHAPITRE 18

Au hammam, Alice met du savon de Marseille sur son corps.

Trouvez la traduction de ces parties du corps :

1. une cheville
a) a knee
b) a wrist
c) an ankle

2. un pouce
a) a thumb
b) a nail
c) a toe

3. un coude
a) a knee
b) an elbow
c) an ankle

4. un ongle
a) a nail
b) a navel
c) a shoulder

5. un poignet
a) a cheek
b) a heel
c) a wrist

CHAPITRE 19

Dans la cuisine, Léo et monsieur Godin ouvrent les huîtres. Il y en a déjà une douzaine sur un plateau.

Léo ouvre une nouvelle huître devant moi.

- Look, dit-il en mettant l'huître sous mon nez. She is alive ! She moves !

J'ai presque envie de vomir.

- Ces huîtres sont très fraîches. Elles viennent d'où ? demande-t-il à sa future belle-mère.

- Elles viennent de l'île d'Oléron, répond madame Godin. Le poissonnier m'a juré qu'elles étaient arrivées à Paris ce matin. Nous allons nous régaler !

Léo attrape une autre huître. Il l'ouvre en deux secondes avec un petit couteau à la lame triangulaire.

- Alice, do you prefer to eat les huîtres avec un peu de lemon ou avec du vinaigre ?

Je m'assieds. J'ai un peu la nausée.

Sur la table de la cuisine, madame Godin prépare les canards. Ils sont disposés dans un grand plat en verre. Ils ont encore leur tête. Elle met des herbes de Provence, de l'ail et de l'huile d'olive sur les deux oiseaux. Elle ajoute un peu de gros sel et elle commence à masser énergiquement les deux volailles avec ses mains. Oh non ! Je repense au gommage à la mosquée.

- Vous êtes toute blanche, Alice. Tout va bien ? me demande madame Godin.

- J'ai juste un peu chaud, je réponds. C'est peut-être une bouffée de chaleur.

Au même moment, la porte d'entrée s'ouvre. Cécile et Sybille arrivent avec quatre bouteilles de vin recouvertes de poussière et de toiles d'araignées.

- Il fait froid dans la cave, dit Cécile. Heureusement que cette fois j'ai mis un pull.

- Tu as acheté la bûche de Noël cet après-midi, Cécile ? demande madame Godin.

Cécile prend une huître sur le plateau et la fait tomber lentement dans sa bouche.

- Ouais. Je l'ai achetée chez Pierre Hermé comme tu me l'as demandé.

Un petit bout de l'huître sort de la bouche de Cécile. Je tourne la tête pour ne pas regarder.

La grand-mère est en train de couper un petit morceau de foie gras. Elle le lance à son chien Javel.

- Javel adore le foie gras, dit-elle. Il pourrait en manger à tous les repas.

Javel remue la queue. Il est content. Moi, je ne me sens pas très bien.

- Je crois que je vais aller dans ma chambre cinq minutes, je dis.

- D'accord. Je vous appelle pour l'apéritif, dit madame Godin.

Je pense voir un des canards dans le plat me faire un clin d'œil avant d'entrer dans le four.

EXERCICE DU CHAPITRE 19

Pour le dîner du réveillon de Noël, la famille française va manger des huîtres.

Voici un petit texte sur les huîtres.

Malheureusement, il y a 5 fautes dans ce texte. Pouvez-vous les trouver ?

Pour vérifier si une huître est fraîche, il faut la piquer avec la pointe d'un couteau ou y verser une goutte de citron où de vinaigre. Elle doit alors se rétracté un peu. Si elle ne se rétracte pas, cela signifie que l'huître est morte. Il n'est donc plus judicieux de la consommer sauf si tu voulez tomber malade. N'achetez jamais une huître qui « bâille », c'est-à-dire qui s'ouvre spontanément, car elle est sûrement morte. Sa odeur est obligatoirement agréable. Si elle sent le pied sale, ne la manger pas. C'est mon conseil !

CHAPITRE 20

LE 24 DÉCEMBRE

Nous sommes dans le salon, une coupe de champagne à la main. C'est la fête !

- Le champagne devrait être remboursé par la Sécurité sociale, dit la grand-mère.

Elle porte une jupe blanche et un chemisier blanc.

- C'est simple, c'est bon pour tout, ajoute-t-elle. Les rhumatismes, l'arthrose...

C'est vrai que depuis que j'ai bu du champagne, je me sens mieux.

- Il paraît que c'est bon aussi pour la libido, continue la grand-mère en regardant sa petite-fille Cécile.

Je remarque que Cécile et Léo sont assis loin l'un de l'autre.

- Où est Julien ? demande monsieur Godin pour changer de sujet.

- Votre fils dort, dit madame Ricard. Il a joué au foot tout l'après-midi. Il est rentré vers 16 heures couvert de boue. Il a mangé un grand plat de pâtes au fromage râpé et maintenant il dort sur mon canapé.

- Il ne va quand même pas dormir pour le réveillon de Noël ? demande le père, choqué.

- Laissons-le dormir, dit Sybille. On est bien plus tranquilles sans lui !

- Sybille ! dit monsieur Godin.

- Je ne sais pas si vous allez rencontrer mon fils Julien, me dit Madame Godin, mais il existe. Regardez, il a mis ses chaussures au pied du sapin.

Nous nous tournons tous vers le sapin de Noël. Je devine que la paire de chaussures de foot recouvertes de boue est à Julien.

- Can you guess who is ze propriétaire of ze shoes ? demande Léo.

Il m'énerve vraiment à parler anglais celui-là.

- Vous pouvez deviner ? me demande madame Godin.

- Je pense que je peux le faire. Les petites chaussures rouges sont à Sybille et les baskets sont à moi.

- C'est facile, dit la grand-mère.

- Les chaussures dorées avec les hauts talons sont à Cécile.

- C'est vrai, dit Léo.

- Les grandes chaussures en cuir marron sont à monsieur Godin.

- Parfait, dit madame Godin.

- Les chaussures très blanches sont à madame Ricard.

- Bien vu.

- Les souliers bleus sont à madame Godin.

- Excellent.

- Et les quatre petites bottines sont à Javel.

- Bravo, c'est un sans-faute. You can have une deuxième coupe ! me dit Léo en me versant du champagne.

- Et vos chaussures Léo ? demande la grand-mère. Elles ne sont pas sous le sapin ?

- Vous avez raison, dit-il surpris. Pourtant hier, j'ai laissé une paire de chaussures sous le sapin. C'est bizarre.

Ni une ni deux, Léo enlève ses chaussures et les met sous le sapin.

- Et voilà ! dit-il.

Monsieur Godin se lève soudainement.

- Tu viens dans la cuisine, Sybille ? demande-t-il. Nous ne devons pas oublier le goûter du père Noël.

- J'arrive, papa ! dit-elle en me faisant un clin d'œil.

Ils reviennent cinq minutes plus tard avec un verre de lait et quelques biscuits.

- Merde, crie tout à coup Cécile, j'ai complètement oublié la bûche de Noël dans le frigo. Léo, tu peux aller la chercher ?

- Bien sûr, ma chérie, dit-il en se levant.

- N'oubliez pas de mettre votre veste cette fois, dit la grand-mère. Il fait très froid dehors.

EXERCICE DU CHAPITRE 20

La grand-mère remarque qu'il manque les chaussures de Léo sous le sapin.

Dans les six phrases suivantes, il manque un mot. Pouvez-vous les trouver ?

1. Le verre pour boire le champagne s'appelle une coupe ou une _____.
2. Le dîner du 24 décembre s'appelle le _____ de Noël.
3. Une petite botte s'appelle une _____.
4. Le dessert traditionnel de Noël s'appelle une

   _____.
5. Le chien de madame Ricard s'appelle _____.
6. On mange les huîtres avec du vinaigre ou du

   _____.

CHAPITRE 21

- Il est presque 20 heures 30. Passons à table maintenant ! dit monsieur Godin.

- Bonne idée, dit la grand-mère en tapant le sol avec sa canne. Je suis affamée.

Une belle nappe blanche recouvre la table. Il y a de grandes assiettes rondes, des serviettes brodées, des verres en cristal et des couverts en argent. Une vraie table de fête !

- Asseyez-vous ici, me dit madame Godin.

Je suis assise entre Cécile et Sybille. En face de moi, il y a la chaise vide de Léo.

- On attend Léo avant de manger ? demande Sybille. Il doit arriver bientôt.

- Il est parti il y a quatre-cinq minutes, dit monsieur Godin en regardant sa montre.

- Commençons à manger sans lui, dit la grand-mère. J'ai faim. Je ne veux pas manger trop tard !

Monsieur Godin place le plateau d'huîtres au centre de la table.

- Bon appétit, dit-il.

- J'ai compris que vous n'aimiez pas les huîtres, me dit madame Godin. Alors j'ai préparé une entrée spécialement pour vous.

Elle me donne une assiette. Dans l'assiette, il y a des coquilles Saint-Jacques.

- Elles sont cuisinées avec de la crème fraîche, dit-elle. Vous aimez la crème fraîche, j'espère ?

Je n'en crois pas mes yeux.

- C'est exactement ce que je voulais manger pour le réveillon de Noël ! Merci beaucoup, madame Godin !

Je suis tellement contente que j'en ai presque les larmes aux yeux. Je suis vraiment bien accueillie dans cette famille.

- Tout le monde est content ? demande monsieur Godin en versant du vin rouge dans le verre de sa belle-mère.

À ce moment-là, on entend frapper à la porte.

- Va ouvrir, Cécile. C'est sûrement Léo qui veut entrer avec la bûche de Noël.

Les coquilles Saint-Jacques sont délicieuses. Je suis aux anges. Je ne remarque pas tout de suite les deux hommes dans la cuisine.

- Bonjour messieurs, dit monsieur Godin. Puis-je vous aider ?

Les deux hommes montrent leur badge de la Police nationale.

- Nous sommes désolés d'interrompre votre réveillon de Noël. Connaissez-vous monsieur Léo Mallet ? demande le premier.

- Oui, c'est mon futur gendre, répond monsieur Godin. Pourquoi ?

- Monsieur Léo Mallet a été retrouvé mort en bas de l'escalier de votre immeuble !

EXERCICE DU CHAPITRE 21

Monsieur Léo Mallet a été retrouvé mort **en bas** de l'escalier.

Trouvez la bonne traduction de ces mots en français :

1. à droite
a) to the left
b) to the right
c) straight ahead

2. en face
a) under
b) on a face
c) across

3. souvent
a) never
b) always
c) often

4. devant
a) in front
b) after
c) on

5. tout droit
a) all right
b) straight ahead
c) under

CHAPITRE 22

- Nous avons des questions à vous poser, disent les policiers.

Ils portent le même costume bleu foncé et la même moustache noire. On dirait des frères jumeaux.

- Posez vos questions, dit la grand-mère d'une voix calme.

Je suis sous le choc. Léo a glissé dans l'escalier. Son cou s'est brisé et il est mort. Je ne peux pas le croire.

- Mon Dieu ! C'est un accident, n'est-ce pas ? crie madame Godin.

- Nous ne le croyons pas, disent les policiers. Nous pensons que c'est un meurtre.

Les deux hommes sortent simultanément un carnet et un stylo de la poche droite de leur veste.

- Dans le portefeuille de monsieur Léo Mallet, nous avons trouvé un reçu pour un retrait d'argent à la banque de la Société Générale de la rue des Archives. Mais le portefeuille de monsieur Mallet était vide.

- Un retrait de combien ? demande monsieur Godin.

- Un retrait de 1500 euros, disent les policiers.

- 1500 euros ! dit madame Godin.

- Est-ce que vous savez où se trouve cet argent ? demandent les policiers.

- Aucune idée, dit monsieur Godin, mais mon gendre est très doué pour faire disparaître l'argent.

Cécile se met à pleurer.

- Monsieur Léo Mallet ne portait pas de chaussures quand il a été retrouvé en bas de l'escalier, ajoutent les policiers. C'est très étrange, non ?

- Il y a une explication très simple, dit monsieur Godin. Léo a laissé ses chaussures sous le sapin.

- Sous le sapin ? Mais pour quelle raison ? demandent-ils.

Vraisemblablement les policiers ne connaissent pas cette tradition.

- Léo a laissé ses chaussures sous le sapin pour le père Noël, voyons ! dit monsieur Godin.

Les policiers haussent les épaules. Ils ne comprennent toujours pas.

- Le père Noël dépose les cadeaux seulement à côté des chaussures, ajoute monsieur Godin en faisant un clin d'œil.

Les policiers viennent de remarquer qu'il y a une petite fille dans la cuisine. Il ne faut pas lui révéler la vérité au sujet de l'existence du père Noël.

- Ah oui, dit un policier, j'avais oublié. Bien sûr. C'est évident. Il faut mettre ses souliers sous le sapin pour le père Noël.

Les policiers tournent une page de leur carnet.

- Enfin, nous avons trouvé une note bizarre dans sa poche.

- Une note bizarre ? Qu'est-ce qui est écrit sur cette note ? demande Cécile un peu jalouse.

- Je ne sais pas, disent-ils. Elle est en anglais et nous ne parlons pas anglais. Mais la note est signée Alice Hunt. Vous connaissez cette personne ?

À ce moment-là, tous les regards se tournent vers moi.

EXERCICE DU CHAPITRE 22

Mettre les verbes au passé composé.

1. Le père Noël <u>dépose</u> les cadeaux à côté des chaussures.
Le père Noël ___ _____ les cadeaux à côté des chaussures.

2. Les deux hommes montrent leur badge de la Police nationale.
Les deux hommes ___ _____ leur badge de la Police nationale.

3. Je n'en crois pas mes yeux.
Je n'en ___ pas _____ mes yeux.

4. Ils lisent une page de leur carnet.
Ils ___ _____ une page de leur carnet.

5. À ce moment-là, tous les regards se tournent vers moi.
À ce moment-là, tous les regards se ___ _____ vers moi.

CHAPITRE 23

Monsieur et madame Godin, Cécile et sa grand-mère me montrent du doigt.

- Elle est la seule à pouvoir écrire en anglais.

- Elle n'est pas de la famille.

- On ne la connaît pas vraiment.

- Elle était en colère parce que Léo parlait tout le temps anglais.

- Elle est bizarre. Elle n'aime pas les huîtres.

- Elle habite au Texas et les Texans sont timbrés.

Tout à coup, j'ai dû mal à digérer les coquilles Saint-Jacques à la crème fraîche.

- On vous emmène au commissariat du quatrième arrondissement, madame Hunt, disent les policiers. On a besoin de vous poser plus de questions. On sera plus tranquilles là-bas.

Dans la voiture de police, je suis silencieuse. Ce n'est pas le réveillon de Noël que j'avais imaginé.

Au commissariat, nous entrons dans un petit bureau sans fenêtre. Les deux policiers me montrent une chaise.

- Asseyez-vous là.

- Est-ce que l'interrogatoire va durer longtemps ? je demande.

- C'est nous qui posons les questions, madame Hunt.

- Je suis désolée.

- Pourquoi êtes-vous seule à Paris pour les fêtes de Noël ? demandent-ils suspicieusement.

J'explique aux deux policiers que je n'ai trouvé personne pour passer le réveillon avec moi.

- Vous n'avez pas d'amis ?

- J'ai des amis, mais ils fêtent Noël avec leurs familles. J'ai deux amis célibataires mais un ami est végan et l'autre ne boit pas de vin... Et moi, je ne suis pas végan et j'aime le vin.

- Ils sont végans et ils n'aiment pas le vin ? Vous avez des amis très bizarres, madame Hunt.

Les deux policiers se regardent.

- Quelles étaient vos relations avec monsieur Léo Mallet ?

- Elles étaient très bonnes.

- Est-ce que vous connaissiez monsieur Léo Mallet avant de venir à Paris ? Un ancien amant peut-être ?

- Mais non ! Je ne l'ai jamais vu avant ce voyage.

J'ai soif tout à coup. Ma gorge est sèche.

- Est-ce que je peux avoir quelque chose à boire ? je leur demande.

- Qu'est-ce que vous voulez boire ? Nous avons un Château Montlabert 2019 ou Côte-de-Nuits-Villages 2020.

Je les regarde surprise.

- Est-ce que c'est normal d'offrir du bon vin dans un commissariat en France ? je demande.

- Nous avons fait une fête de Noël au commissariat aujourd'hui. Il nous reste beaucoup de bonnes bouteilles. Nous sommes heureux de partager un verre avec une Américaine qui aime le vin.

- Alors, je voudrais un verre de Côtes-de-Nuits-Villages, s'il vous plaît.

EXERCICE DU CHAPITRE 23

Les deux policiers et Alice arrivent au commissariat. Alice a soif. Les deux policiers lui proposent un verre de vin. C'est un vrai miracle de Noël !

Trouvez la bonne traduction :

1. un bouchon
a) a label
b) a cork
c) a barrel

2. une dégustation
a) a tasting
b) a palate
c) a cheap wine

3. les vendanges
a) harvest time
b) vineyards
c) labels

4. un poivrot (familier)
a) a man who drinks too much
b) a man who crushes grapes with his feet
c) a man who can't drink

5. un cadavre

a) a bottle covered with spiderweb and dust

b) an empty bottle

c) a bottle impossible to open

CHAPITRE 24

Un des policiers revient avec un verre de vin. Je le goûte. Le vin est absolument délicieux. Il est léger et fruité.

Si c'est une stratégie pour me faire parler, elle fonctionne très bien, car je commence à parler sans que les policiers ne me posent de questions.

- Depuis que je suis chez la famille Godin au 85 rue de la Verrerie, j'ai entendu des choses intéressantes.

- Vraiment ? Quoi par exemple ? me demandent les policiers d'une même voix.

- J'ai entendu par exemple qu'il existe des problèmes entre monsieur Léo Mallet et monsieur Godin. Ils travaillent ensemble. Ils sont tous les deux dentistes. C'est peut-être intéressant de chercher dans cette direction.

Les policiers notent quelques mots sur leur carnet.

- Vous avez entendu d'autres choses ? me demandent-ils.

- Je sais aussi que madame Godin organise le mariage de sa fille et de Léo. Le mariage est dans deux mois, mais rien n'est prêt. Elle est très stressée. Avec la mort de Léo, ses soucis disparaissent !

Les policiers relisent leurs notes et ils me regardent.

- Est-ce que vous êtes certaine de ne pas avoir rencontré monsieur Mallet avant votre séjour à Paris ? me demandent-ils.

- J'en suis certaine. Je n'ai jamais rencontré monsieur Mallet avant ce voyage. Je vous le jure !

Nous n'avançons pas très vite. À cette vitesse, je vais passer le jour de l'an et les fêtes de Pâques au commissariat.

- Est-ce que je peux voir la note que vous avez trouvée dans la poche de Léo ? je demande.

Un des policiers me donne une enveloppe en plastique transparente. Dans l'enveloppe, il y a un morceau de papier sur lequel est écrit au crayon de papier :

For what hope remains if love can escape?
If love still lives and grows strong where I
cannot enter,
what hope is there in my own dark world for me?
I love you,
Alice Hunt

- Est-ce que je peux utiliser mon téléphone ? Je demande aux policiers. Ce texte me dit quelque chose.

- D'accord, disent-ils d'une même voix.

J'entre le texte dans le moteur de recherche Google et eurêka !

J'ai trouvé !

Triomphante, je finis mon verre de Côte-de-Nuits-Villages 2020.

- Retournons au 85 rue de la Verrerie, je dis aux policiers. Je sais qui a tué monsieur Léo Mallet !

EXERCICE DU CHAPITRE 24

Alice demande aux policiers de retourner au 85 rue de la Verrerie parce qu'elle sait qui a tué Léo Mallet.

Et vous ? Est-ce que vous savez quel est le verbe correct pour ces phrases ?

1. Les policiers _____ qu'Alice aime le bon vin.
connaissent
savent

2. Alice pense _____ le meurtrier.
connaître
savoir

3. Au commissariat, on _____ comment faire parler les suspects.
connaît
sait

4. Quand on est policier, on _____ poser des questions.
connaît
sait

5. Alice et moi _____ la ville de Paris.

connaissons

savons

CHAPITRE 25

Autour de la table de la cuisine, monsieur et madame Godin, leurs deux filles Cécile et Sybille, madame Ricard et le chien Javel ont les yeux fixés sur moi.

Les deux policiers restent debout près de la porte.

- Qui voulait faire disparaître Léo Mallet ? je demande. Peut-être vous, monsieur Godin ?

- Mais non, dit-il. Absolument pas.

- Monsieur Godin, vous soupçonniez votre gendre de voler de l'argent de l'entreprise. Si Léo disparaît, les vols s'arrêtent. C'est facile à comprendre.

- C'est facile à comprendre, dit-il en levant les mains au ciel. Mais je n'ai jamais voulu le tuer.

Je regarde maintenant sa femme.

- Qui d'autre voulait faire disparaître Léo Mallet ? Peut-être vous, madame Godin ?

- Mais non ! crie-t-elle. Pas du tout.

- Madame Godin, vous ne vouliez plus organiser le mariage de Léo avec votre fille Cécile. Avec la mort de Léo, il n'y a plus de mariage !

- Vous dîtes n'importe quoi ! dit-elle furieuse.

J'avance maintenant vers Cécile. Je me souviens de l'avoir vue hier parler avec un jeune homme qui n'était pas Léo.

Mais au dernier moment, je pose mes mains sur les épaules de madame Ricard.

- Quand je suis entrée dans l'immeuble cet après-midi, j'ai tout de suite senti dans l'escalier une odeur très particulière : l'odeur du savon de Marseille. Vous connaissez les propriétés du savon de Marseille, madame Ricard ?

- Bien sûr ! Il nettoie très bien toutes les taches, dit-elle.

- Et quoi d'autre ?

- Je ne sais pas.

- Vous le savez très bien, madame Ricard. Le savon de Marseille rend tout très glissant. Je suis presque tombée dans le hammam cet après-midi à cause du savon de Marseille.

Je regarde maintenant les deux policiers.

- Au commissariat, j'ai découvert que le texte trouvé dans la veste de Léo était tiré de l'Opéra Billy Budd. Un opéra en anglais joué à Paris en avril 1996 ! Vous avez travaillé à l'Opéra de Paris en 1996, n'est-ce pas madame Ricard ?

La grand-mère reste silencieuse.

Je regarde les membres de la famille Godin.

- Le jour du réveillon, Madame Ricard a mis du savon de Marseille sur les marches de l'escalier et a mis une note en anglais, qu'elle a recopiée d'un opéra, dans la veste de Léo Mallet.

- Avec cette note en anglais, l'Américaine est le suspect numéro un, dit un des policiers. C'est bien joué.

J'attrape mon verre sur la table. J'en bois lentement une gorgée pour un effet plus dramatique.

- Hier, madame Ricard a volé les chaussures de Léo. Léo a donc dû laisser une nouvelle paire de chaussures sous le sapin et c'est la raison pour laquelle il est parti chercher la bûche en chaussettes.

- Chaussettes plus savon de Marseille égalent accident mortel dans l'escalier, dit l'autre policier. C'est bien vu.

Madame Ricard ne me regarde plus. Elle sait que je l'ai démasquée.

- Mais pourquoi, maman ? demande madame Godin.

- Mais pourquoi, mamie ? demandent Cécile et Sybille.

- Mais pourquoi, belle-maman ? demande monsieur Godin.

Madame Ricard coupe un morceau de foie gras avec son couteau. Et elle le donne à Javel.

- Depuis que Cécile est fiancée avec Léo, commence-t-elle, elle ne déjeune plus avec moi le mercredi.

Javel remue la queue. Il veut encore du foie gras.

- Tous les mercredis, dit la grand-mère, je dois barrer le nom de Cécile sur mon agenda et le remplacer par le nom de ma fille.

Son visage se ferme.

- Je déteste les taches sur les vêtements, et je déteste les ratures dans mon agenda ! dit-elle. Faire disparaître Léo était la seule solution. Je n'aurai plus besoin de rayer le nom de ma petite-fille dans mon agenda !

Les deux policiers s'approchent de madame Ricard.

- Madame, levez-vous et venez avec nous au commissariat.

La vieille dame se lève théâtralement, prend son verre de vin rouge et le jette sur la table.

Sur la nappe blanche, il y a maintenant une énorme tache rouge sang.

EXERCICE DU CHAPITRE 25

Madame Ricard connaît toutes les astuces pour faire disparaître les taches.

Est-ce que vous savez comment faire disparaître les taches suivantes ?

1. Pour faire disparaître une tache de sang sur un vêtement, on utilise :
a) du pipi de chat
b) du cognac
c) un cachet d'aspirine

2. Pour faire disparaître une tache de café sur un vêtement, on utilise :
a) du vinaigre blanc
b) du vin blanc
c) de l'eau de Javel

3. Pour faire disparaître une tache de thé sur un vêtement, on utilise :
a) de l'eau gazeuse
b) du citron
c) de la tequila

4. Pour faire disparaître une tache de rouge à lèvres sur un vêtement, on utilise :

a) du savon de Marseille

b) du parfum

c) du sel

5. Pour faire disparaître une tache de transpiration sur un vêtement, on utilise :

a) du champagne

b) du jus de raisin blanc

c) du bicarbonate de soude

CHAPITRE 26

LE 25 DÉCEMBRE VERS 15 HEURES DE L'APRÈS-MIDI

J e suis dans la chambre de Julien. Il me regarde mettre mes derniers vêtements dans ma valise. Il porte un survêtement vert et bleu et des chaussures de foot. C'est lui que j'ai vu hier près du pont Marie avec Cécile.

Mon téléphone sonne.

- Bonjour, madame Hunt ?

- Oui. C'est moi.

- Madame Leger du consulat général de France à Dallas.

- Merci de me rappeler. J'ai expliqué la situation à votre assistante. Je ne veux plus rester chez les Godin.

- Malheureusement, madame Hunt, nous n'avons pas d'autre famille disponible pour vous accueillir.

Je regarde ma valise sur le bureau de Julien. Qu'est-ce que je vais faire ?

- Ce n'est pas possible ! je dis.

- Mais nous avons une autre solution à vous proposer, dit-elle.

Je croise les doigts.

- Le fils du consul habite dans un petit appartement à côté de Paris. Il est en ce moment en voyage à Barcelone. Il peut vous prêter son appartement jusqu'à la fin de la semaine.

- Merci ! Merci beaucoup. C'est très généreux de sa part, je dis.

Je suis soulagée.

- Mais, ajoute-t-elle, il y a un petit problème...

- Vraiment ? Lequel ?

- Il nous a dit qu'avant son départ pour l'Espagne, son chat a fait une grosse tache sur la moquette. Il n'a pas eu le temps de la nettoyer.

Je ferme ma valise en souriant.

- Aucun problème. Je n'ai pas peur des taches, je dis. Au contraire ! Je les adore.

FIN

I would love it if you could leave a short review of my book. For an independent author like me, reviews are the main way that other readers find my books. Merci beaucoup !

MURDER ON CHRISTMAS
ENGLISH TRANSLATION

PROLOGUE

Christmas is my favorite holiday. I love everything about Christmas.

I love decorating my house. I love Christmas songs. I love the smell of the Christmas tree. I love giving gifts. I love receiving gifts. And I love spending Christmas with my best friend Cathy.

Every December 24th, Cathy and I spend the evening together. We eat a good meal. We drink a nice bottle of champagne. We have a wonderful evening.

But unfortunately, this year, Christmas is going to be different...

CHAPTER 1

NOVEMBER 14TH

I'm drinking my tea when I see Cathy's name appear on my mobile phone.

"Hello!"

"Hello, Alice. How are you?" she asks.

I'm very happy to hear her voice.

"I'm doing great. How about you?"

"I'm doing really great too," she says.

Her voice is cheerful. She must be starting to think about our Christmas dinner.

"It's funny, Cathy, I was just thinking about you."

"Really?" she says.

"Yes, I thought we were very lucky to spend Christmas together every year. What are we going to have for dinner this year? I thought scallops with a crème fraîche sauce. Do you like scallops?"

There are a few seconds of silence.

"Cathy, are you there?"

"Yes, I'm here. The thing is, I need to talk to you…"

Suddenly, her voice becomes softer.

"Go ahead, Cathy. You're not on a diet, are you?"

"No, don't worry. I'm not on a diet."

"Did you buy your plane ticket to come to Houston?"

Cathy has lived in Chicago for ten years. She works in a large hotel. Every year, she comes back to Houston to visit her parents and to see me. She celebrates Hanukkah with them and Christmas with me.

"No, I didn't buy my plane ticket."

"Are you having money problems?" I ask her worriedly.

There are a few seconds of silence.

"Alice, I've met someone," she says. "His name is Arthur. He's divorced. He wants to introduce me to his family. I'm going to spend Christmas with him."

CHAPTER 1 EXERCISE

Normally, Alice spends Christmas with her friend Cathy. Unfortunately this year, Cathy has met someone and she won't be spending Christmas with her friend Alice.

Alice is going to spend Christmas Eve alone. How sad!

Find the translations of these words:

1. un sapin de Noël
a) an elf
b) a Christmas tree
c) Santa Claus

2. emballer
a) to wrap
b) to pretend you like the present
c) to unwrap

3. un traîneau
a) a man who likes to drink eggnog
b) a snowman
c) a sled

4. Le réveillon
a) the day after Christmas

b) Christmas eve (it could also be New Year's eve)
c) the 12th day after Christmas

5. un lutin
a) a deer
b) a snowman
c) an elf

CHAPTER 2

My friend Cathy won't be spending Christmas with me.

Now I need to have a plan B. I don't want to spend Christmas all alone. I look at the names of my friends on my portable phone. Who can I spend Christmas with?

Karine Comet? Karine Comet has been working at the library for three months. I could contact her, but Karine talks a lot. She's very chatty. She's always got a lot to say on every social issue. I don't want to spend the evening of December 24 hearing about global warming, the rise of the far right in Western democracies or the negative effects of social networks like Facebook. I'll pass on Karine Comet.

Bill Fried? Bill's nice. He's single. He doesn't talk much. It's a possibility, but I suddenly remember that Bill is vegan. And I really want to eat scallops with crème fraîche for Christmas. I'll pass on Bill Fried.

Barbara Quiet got married this year. Her husband's an idiot. I'll pass on Barbara.

Lydia Root has twins less than six months old. I'll pass on Lydia.

Eric Torrisi? Yes, Eric Torrisi. That's a great idea. I'll give him a call.

"Hello, Eric! This is Alice."

"Hello Alice."

"Eric, I'm going to ask you a direct question. What are you doing for Christmas?"

"I'm not doing anything."

"Perfect. Would you like to come and eat at my place? I'm alone and I'd love to have a scallop dish with a friend. You're not vegan?"

"No Alice, I'm not vegan. I love scallops. I accept your invitation."

"That's perfect. Come by my place around 6:00 pm."

"What do I bring?"

"You could, for example, bring along a good bottle of wine."

"That's a problem, because I've been sober for one year," he says.

"You don't drink?"

"No, I don't drink alcohol."

There are a few seconds of silence. I'm embarrassed.

"Someone's knocking on my door, Eric. I'll call you back later. Okay?"

CHAPTER 2 EXERCISE

Alice doesn't want to spend Christmas Eve alone. She needs to find a friend to celebrate Christmas with her.

Complete the following sentences with the correct tonic (also known as disjunctive or stressed) personal pronoun (moi, toi, lui, elle, nous, vous, eux, elles).

1. Est-ce que tu veux passer Noël avec **nous** ?
Do you want to spend Christmas with us?

2. J'ai un cadeau pour elle.
I have a gift for her.

3. Elles vont manger chez elles.
They are going to eat at their place.

4. Vous connaissez Eric ? J'habite à côté de chez lui.
Do you know Eric? I live next door to him.

5. Je vais passer Noël avec des amis. Et toi ?
I'm going to spend Christmas with friends. And you?

6. C'est ma coupe de champagne. Elle est à moi.
This is my champagne glass. It's mine.

7. J'aime Noël. Et <u>vous</u> ?
I love Christmas. And you?

8. Nous n'avons pas de cadeaux pour eux.
We have no gifts for them.

CHAPTER 3

I continue to make the rounds of my contacts. I need to find a friend to have dinner with on December 24, Christmas Eve. For the moment, I can't find anyone. I cross out the names of my friends one after the other: Karine, Bill, Eric, Joe, Caroline...

Suddenly, I find Amy Grant's name in my contacts.

Amy is a very funny young woman. She was in my French class last year. We became friends very quickly. We watched a lot of French movies together at my house or hers.

I hope she's available for Christmas. I decide to call her right away.

"Hello?"

"Hello, Amy. This is Alice Hunt calling."

"What a surprise! How are you?"

"Fine, thank you. Amy, are you still single?"

"Yes, I still am. Why?"

"You're not vegan?"

"I'm not vegan."

"Do you drink wine?"

"I only drink wine if it's good," she laughs.

I think I've found the right person to share my Christmas dinner with.

"Amy, I'd like to invite you to my house for dinner on December 24. Are you available?"

"It's very kind of you to think of me, but I'm not in Houston for Christmas."

I try to hide the disappointment in my voice.

"Really? Where are you?" I ask.

"I'm going to be in Paris."

"In Paris?" I repeat in a voice a little higher than my normal one.

When I'm jealous, my voice goes up an octave. It's the weirdest thing.

"Yes, I'm going to spend Christmas with a French family."

"Really?? A French family?"

I now have the voice of a soprano.

"It's a program organized by the Consulate General of France in Dallas to develop Franco-American friendship. The program is called *Spend the holidays with us!*"

"Tell me all about it!"

"It's a great idea!" she says. "You spend the holidays with a French family. You're in total immersion from December 23rd to January 2nd."

"Is it expensive?"

"It's free," says Amy. "Plus, you can get a little financial help from the French consulate to buy your plane ticket."

"That's really super interesting."

"Alice, would you like me to send you some information about the program? There may be a family still looking for an American."

"You think?" I say, crossing my fingers.

CHAPTER 3 EXERCISE

To promote Franco-American friendship, the Consulate General of France in Dallas is offering Americans the chance to spend Christmas with a French family. The program is called *Spend the holidays with us*!

Write the following verbs in the imperative:

manger – to eat

1. mange
2. mangeons
3. mangez

emballer – to wrap

1. emballe
2. emballons
3. emballez

ouvrir – to open

1. ouvre
2. ouvrons
3. ouvrez

boire – to drink

1. bois
2. buvons
3. buvez

ranger – to put away

1. range
2. rangeons
3. rangez

CHAPTER 4

PARIS, DECEMBER 23

The family hosting me for the holiday season lives at 85, rue de la Verrerie in the fourth arrondissement of Paris. They're a family of five: the parents, Mr. and Ms. Godin, two daughters, Cecile, 24, and Sybille, 8, and a son, Julien, 14.

The cab I took from Roissy-Charles de Gaulle airport left me in front of a decrepit old building. I struggle out of the car and grab my suitcase.

I enter the code 64B45 and push open the building's heavy door.

My eyes get used to the half-light. In front of me, I see an old wooden staircase. I feel around, searching for the switch to turn on the lights.

There's no elevator, so I climb the stairs, laboriously pulling my suitcase with my right hand. The stairs are worn and slippery. You have to be careful not to fall.

Of course, the lights went out just as I reached the first floor. In the dark, I fumble again to find the switch. The light turns on and I continue to the second floor.

On the second floor, there are two doors. The right door is blue and the left door is red. On the doormat of the blue door is written Happy Hanukkah. On the doormat of the red door is written Merry Christmas.

I go to the red door. Behind the door, I can hear two women screaming.

"You don't want to marry him anymore?"

"I don't know, Mom! I don't know anymore…"

"Your father thinks that…"

I knock on the door and the shouting suddenly stops. Two seconds later, the door opens.

"Yes?" says a young blonde woman.

She's about twenty. She's wearing a very short black sweater and orange pants.

"Hi, my name is Alice Hunt. I'm from Houston."

"And what would you like?"

"I'm Alice Hunt," I repeat. "I live in Houston, Texas, and I'm here to spend Christmas with you."

The young woman looks at me more and more surprised. Have I come to the wrong building? I pick up my phone to check that I'm at the right address.

"I'm at Mr. and Ms. Godin's place, aren't I?" I ask shyly.

The young woman slams the door shut. I hear her yell.

"Mom, there's someone weird at the door!"

The door opens a second time. In front of me is an older woman. She's wearing a pink robe. She smiles at me.

"Ms. Hunt, I'd completely forgotten you were coming today. Come in, come in."

CHAPTER 4 EXERCISE

Alice is spending the holidays with the Godin family. This family lives in an old building in the Marais district.

The Marais is a district of Paris where you can find almost anything.

Find the odd word out in each list.

List 1:
Christmas
a sleigh
a gift
a mushroom

List 2:
a bakery
a cheese shop
a window
a fish market

List 3:
a hammer
a light bulb
a switch
a light

Liste 4:
a pine tree
a beech tree
an oak tree
a truck

List 5:
a bedroom
a song
a bathroom
a kitchen

CHAPTER 5

The woman ushers me into the apartment. The corridor is narrow. It's covered with dark blue wallpaper. In one corner, there's a coat rack with a jacket and a hat hanging on it.

"Hello, Ms. Hunt. I'm Ms. Godin. Did you have a good trip?"

The young woman who had opened the door for me is looking at Ms. Godin.

"Mom, can you explain to me who this woman is?"

"I'll explain later. Please go get your little sister from the pool. She should have finished her lesson by now."

"I can't. It's Wednesday and I'm going to lunch with Leo."

Ms. Godin turns to me and repeats the question.

"Did you have a good trip?"

"Yes, thank you, it was very good. I have..."

Before I can finish my sentence, I see the young woman grab the hat from the coat rack and disappear, slamming the door. Ms. Godin opens the door and shouts:

"Cecile, can you call your brother and ask him to get Sybille at the pool?"

But we don't hear an answer.

"Pardon my daughter Cecile. She's a bit stressed at the moment. She's getting married soon. What's more, her fiancé changes his mind all the time. One day he wants a big traditional wedding with 300 guests, and the next day he wants a wedding with just a few friends. Nothing is decided yet, and the wedding is less than two months away. It's very frustrating!"

"I understand."

"Come, I'll show you your room."

I follow Ms. Godin in the living room. In the center of the room, there's an artificial Christmas tree. It's covered with gold garlands and green and red ornaments. At the top is a large star.

At the foot of the tree, I'm surprised to see seven pairs of shoes in different sizes.

"We put our shoes at the foot of the tree last night. You can put yours there too."

"Why do you do that?" I ask.

"It's a French tradition. Santa Claus places the presents next to the shoes at night on December 24."

"But why seven pairs?"

"Our three children, my husband and I, my daughter's fiancé, Leo, and my mother. That makes seven."

In the living room there's a large leather sofa and coffee table. A television is opposite the sofa.

"This is your room," says Ms. Godin, opening a door. "The room is small but very comfortable. Rue de la Verrerie is noisy. I'd advise you to keep the window closed."

"Okay," I say.

I think I'll open the window a little at night. I've been having hot flashes for a few months now because of menopause. I need fresh air in my bedroom to sleep well.

"I'll leave you to it," she says, "and when you're ready, come into the living room. I'll give you a tour of the rest of the apartment."

Ms. Godin leaves me alone in the room. On the walls hang posters of soccer players. I think I recognize Kylian Mbappé. There's also a small bed and a desk.

I put my suitcase on the desk. I open it and grab my toiletry bag and some clean clothes.

CHAPTER 5 EXERCISE

In this chapter, Alice meets Ms. Godin and her daughter Cecile.

The verb **faire** is often used in French. Find the correct translation of these expressions with the verb faire:

1. faire des économies
a) to save
b) to understand capitalism
c) to cook with potatoes peels

2. faire un tabac
a) to smoke
b) to be successful
c) to open a café

3. faire attention
a) to be proud
b) to be noticeable
c) to be careful

4. faire la sieste
a) to nap
b) to dream
c) to make your bed

5. faire la fête

a) to sulk

b) to party

c) to snore

CHAPTER 6

I leave the room. Ms. Godin is sitting on the sofa. She's reading a fashion magazine.

"Excuse me, is it possible to take a quick shower?" I ask her. "I spilled wine on my pants on the plane."

"Yes, of course. In the bathroom, there's a small white cabinet. Take a towel inside it."

"Where's the bathroom?" I ask.

"The bathroom is in the hall on the right."

In the bathroom there's a sink, a shower and a large mirror.

I lock the door and start undressing. I put my things down beside the sink. I open the little white cabinet to take a bath towel. And I step into the shower. Warm water runs over my body. It feels good. I'm tired from the journey.

I can't explain why, but I don't feel completely comfortable here. Suddenly, I see the door handle move. My heart stops.

"Can I come in? I need to pee," says a small voice.

It must be the little girl coming back from the pool.

"One minute," I say reassured. "I'm almost finished."

I get out of the shower quickly. I towel off. I get dressed in clean clothes. I wrap the towel around my hair. I take my toilet bag and dirty clothes. I open the door.

Behind the door, a little girl looks at me with big green eyes. Her long red hair is wet and smells a little like chlorine from the pool.

"Hello," she says. "My name is Sybille."

"Hello," I answer. "My name is Alice."

"Alice as in Alice in Wonderland?"

"Yes, that's right."

"It's my favorite book," she says before entering the bathroom and locking the door.

CHAPTER 6 EXERCISE

Alice meets Sybille. Her favorite book is *Alice in Wonderland*. There are many animals in this book.

Find the right verb to finish the sentences. Then translate the sentences.

1. Alice et le lièvre <u>prennent</u> le thé.
Alice and the hare have tea.

2. Alice et la chenille <u>sont</u> amies.
Alice and the caterpillar are friends.

3. Le loir <u>est</u> fatigué.
The dormouse is tired.

4. La souris <u>parle</u> français.
The mouse speaks French.

5. Le bébé <u>s'est transformé</u> en cochon.
The baby transformed into a pig.

CHAPTER 7

Ms. Godin is still sitting on the sofa when I come out of the bathroom.

"I hope you'll be comfortable in our family," she says.

"Thank you."

"I'm sorry about my daughter Cecile. I forgot to tell her you were coming."

"No problem."

"Come on, I'll show you the rest of our apartment."

Ms. Godin gets up. She's still in her robe. It's now almost noon.

"Here, of course, we're in the living room. You know the bathroom too," she says.

At the other end of the hall is a large kitchen. In that room, I see a table with six chairs, a fridge, a sink and a stove.

Ms. Godin opens another door.

"This is my daughter Sybille's room."

The walls are decorated with pretty drawings of planets. But the floor is covered with clothes, socks, books and a wet bathing suit.

"Excuse the mess. My daughter Sybille isn't very good at tidying her room."

We pass through Sybille's room and open a second door, which, this time, leads into the bedroom of the parents, Mr. and Ms. Godin. The room is very tidy.

"To get to your room, do you have to go through your daughter Sybille's room?" I ask her.

"Yes, they're called pass-through rooms. It's very common in old Parisian buildings."

"Your daughter Cecile doesn't live with you?"

"No, she lives with her fiancé Leo in an apartment next door, at 87 rue de la Verrerie."

"And where is your son Julien?"

"During your visit, Julien will sleep at my mother's place. She lives on the third floor, just above our apartment."

Just then, we hear two knocks on the ceiling. Boom. Boom.

Ms. Godin looks up. The bedroom chandelier shakes a little.

"It's my mom. She's calling me for lunch. She taps her cane twice on the floor of her apartment. Every Wednesday, I eat with her. It used to be Cecile's day. But since she's engaged to Leo, Cecile no longer eats lunch with her grandmother."

"It's a real shame," I say.

CHAPTER 7 EXERCISE

In this chapter, we learn that the grandmother lives in an apartment just above Mr. and Ms. Godin's home.

Complete the sentences with celui, celle, ceux and celles.

1. J'aime cette chambre, mais je préfère <u>celle</u> de Julien.
I like this room, but I prefer Julien's.

2. Les murs de la chambre de Sybille sont bleus, <u>ceux</u> de la chambre de Julien sont verts.
The walls of Sybille's room are blue, the ones in Julien's room are green.

3. Ma chambre est plus grande que <u>celle</u> de mes parents.
My room is bigger than my parents' room.

4. Les vêtements de Sybille sont sur le sol, <u>ceux</u> de Julien sont dans son armoire.
Sybille's clothes are on the floor, Julien's are in his wardrobe.

5. Mes chaussures sont blanches, <u>celles</u> de madame Godin sont violettes.
My shoes are white, Ms. Godin's are purple.

CHAPTER 8

Little Sybille stops me in the corridor.

"Hello, do you live in Houston?"

"Yes, in Houston, Texas."

"NASA's not far from Houston, is it? I'd love to go there one day."

"Do you like stars, Sybille? And planets?"

"Yes. My favorite planet is Saturn. Want to hear a joke?"

"I'm listening."

"Do you know why astronauts are always in a bad mood?"

"I don't know. I don't know. Why?"

"Because they're always mooning around."

I laugh, but I don't get it. I have to look up the expression "être mal luné (to be in a bad mood)" to understand this joke.

"I'm going for a walk," I say. "I need some fresh air, see you later?"

"Yes, see you later."

I close the apartment door and start down the stairs. I have to hold on to the railing. The steps on these stairs are really slippery.

I leave the building and turn right. There are lots of people in the streets, young and old, women and men... In my opinion, the Marais is the most diverse neighborhood in Paris.

There are little Christmas lights everywhere. The store windows are decorated really well. I walk past the BHV, one of my favorite stores, and decide to go have a coffee on the fifth floor.

I enter the department store. I find the escalator and start to climb the floors. The department store is packed. It's stuffed to the gills (*literally: as full as an egg*). I have to elbow my way through.

It's the Christmas shopping frenzy. The store's loud-speaker offers a promotion of 20 percent off on perfumes, 15 percent off on scarves, 30 percent off on purses.

On the fifth floor there's a café . I order an espresso to wake me up.

I take my cup and settle in next to the large windows. The sky is gray. The roofs of the buildings are gray, but it's very beautiful. To my right, I can see Paris City Hall.

For the first time, I realize that I'm very lucky to be in Paris during Christmas.

After my coffee, I go down to the stationery aisle. I buy a pen and a notebook. I also buy myself a little silver Eiffel Tower to hang on my Christmas tree.

This decoration will be the souvenir of this trip to Paris.

CHAPTER 8 EXERCISE

Alice goes to the BHV to have an espresso and buy a few things. The Bazar de L'Hôtel de Ville (BHV) is located in the Marais district, next to Paris City Hall. It's one of my favorite stores.

Translate these words. Next, find the two items you can't buy at the BHV.

1. an oyster knife
2. **a toe**
3. a ball of wool
4. a pair of mittens
5. a safe
6. **a poodle**
7. a bra
8. a pair of binoculars
9. a rug
10. a ladle

CHAPTER 9

I get back to the Godin family late in the afternoon. According to my watch, I've walked 28,378 steps. I'm tired. And despite the coffee, I want to sleep.

I knock on the front door. A man opens the door.

"Hello, Ms. Hunt. I'm Mr. Godin. Welcome to my home," he says with a smile.

Mr. Godin is about 55 years old. He wears a light yellow shirt and black pants. His teeth are very white.

"Please come in," he says.

The apartment smells good, like apple pie. I enter the hallway and peek into the kitchen. Ms. Godin is washing the dishes.

"Did you have a good afternoon?" she asked me.

"Yes, thank you."

"I made an apple pie for tonight. Do you like apple pie?"

"I love it! Can I help you?"

"No thanks, I'm done."

Ms. Godin puts the apple peelings in the garbage can.

"What did you do in Paris this afternoon?"

"I went shopping," I reply. "I walked to the Place des Vosges. I also walked past the Pompidou Center. And I had a coffee at the BHV."

"Did you buy anything?"

"I bought a lavender hand cream, a pen, a notebook and an Eiffel Tower Christmas ornament. I'm going to put the things I bought in the bedroom."

"Come back soon. We'll have an aperitif."

After putting my shopping on the bed, I go back to the living room. On the coffee table, there's a bottle of champagne and a bowl with green olives.

The television is on.

"Do you know this film?" asks Mr. Godin, who comes in with champagne flutes.

"No. What's the title?"

"The film is called *Santa Claus is a Stinker*. It's a film that's shown on television every Christmas. It's really funny. I know the dialogue by heart. I don't even have to turn on the sound anymore," says Mr. Godin with a smile.

Suddenly, we hear the front door open. A cold draft enters the living room. Mr. Godin's smile immediately disappears.

"This is my mother-in-law," he says. "The party's over!"

CHAPTER 9 EXERCISE

Alice meets Mr. Godin, a man of about 55 with very **white** teeth.

Complete these sentences by spelling the color names correctly.

1. Au BHV, j'ai vu beaucoup de robes <u>noires</u>.
At the BHV, I saw a lot of black dresses.

2. La barbe du père Noël est <u>blanche</u>.
Santa's beard is white.

3. Les vêtements du père Noël sont <u>rouges.</u>
Santa's clothes are red.

4. Mon béret et mon foulard sont <u>violets</u>.
My beret and scarf are purple.

5. Ce n'est pas facile de trouver une robe <u>marron</u>.
It's not easy to find a brown dress.

6. La coquille des huîtres est <u>grise</u>.
Oyster shells are gray.

7. Mon caniche est <u>orange</u>.

My poodle is orange.

8. Mon soutien-gorge est <u>rose</u>.

My bra is pink.

CHAPTER 10

"Has the American arrived?" asks the grandmother as she enters the living room.

She suddenly stops while looking at her son-in-law.

"Philippe, there's a stain on your shirt," she says, pointing to a microscopic spot on the collar. "You know I can't stand stains."

"Yes, dear mother-in-law," he says like an obedient little boy.

The grandmother is tall and slender. She walks with her head held high like a dancer. She's dressed all in white. She holds an ivory cane in her right hand. She is accompanied by a small dog, also white.

"Hello. My name is Alice Hunt and I'm from Texas. Thank you for welcoming me into your home. I'm happy to spend Christmas with your family."

"I hope you didn't bring any firearms with you," she asks. "Texans are a little *timbré* about guns."

"*Timbré*? I don't know that adjective. What does it mean?" I ask her.

" 'They're *timbré*'" means 'they're crazy.'"

"It's true. We're a little crazy," I say, laughing.

Ms. Godin enters the living room.

"Hi, Mom. Isn't Julien with you?"

"No, he's tidying up the mess he left in my living room," says the grandmother, tapping the floor with her cane.

"Cecile and Leo will be arriving a little later for dinner," says Ms. Godin, looking at her watch.

Sybille arrives in the living room. She has a book in her hand. Mr. Godin grabs the champagne bottle.

"I just realized I haven't introduced you to one another," he says. "Please excuse my rudeness, Ms. Hunt. Allow me to introduce my lovely mother-in-law, Ms. Colette Ricard, and her sweet dog, Javel."

The grandmother taps the ground with her cane.

"Stop your hypocritical compliments, Philippe. I'm thirsty," she orders. "Quick, open this bottle of champagne to celebrate the arrival of the Yank."

Mr. Godin pours champagne into the 5 flutes. Little Sybille is also entitled to her glass of champagne.

"Can children drink alcohol in France?" I ask.

"It's part of their education," replies Ms. Ricard. "It's important to educate young people about good wine."

"I understand," I say.

"It's as important as knowing how to add or divide. Of course, where you come from, the kids drink Coca-Cola," she says, rolling her eyes.

Mr. Godin hands out the champagne flutes.

"Let's raise a glass to what I hope will be a successful Christmas," says Ms. Godin.

"And to Franco-American friendship," adds Mr. Godin.

We raise our flutes and drink the champagne in religious silence.

Suddenly, we hear the front door open and voices in the corridor.

"Hello, hello," says a man's voice. "Where is ze Americane lady?"

"That's Leo," says Sybille, draining her champagne flute.

CHAPTER 10 EXERCISE

Alice enjoys a glass of champagne with her new French family.

Can you answer these champagne questions correctly?

1. What are the three grape varieties traditionally used to make champagne?
a) Chardonnay, Pinot Noir and Meunier
b) Chardonnay, Muscat, Merlot
c) Chardonnay, Riesling, Sauvignon

2. What is the speed of a champagne cork when the bottle is opened?
a) 12 km/h
b) 40 km/h - 24 miles par heure
c) 50 km/h

3. At what temperature should champagne be served?
a) Between 39 and 44°F, 4°C-7°C
b) Between 32 and 37°F, 0°C-3°C
c) Between 46 and 51°F, 8°C-10°C

4. What does it mean to "sabrer le champagne"?
a) Put champagne bottle in sand

b) Open the bottle with a saber

c) Drink your glass of champagne in one go

CHAPTER 11

We're in the kitchen: Ms. Godin, Cecile and her fiancé Leo, little Sybille, Grandma, the dog Javel, and me. Mr. Godin arrives a few moments later. He's now wearing a white shirt.

"Have we heard from Julien? Is he eating with us?" asks Mr. Godin.

"No, he just texted me," says Cecile. "He'd rather eat with a pal."

The grandmother taps the ground with her cane.

"With a friend," she corrects. "We have a guest who's learning French here."

The grandmother taps the ground a second time with her cane. Her dog Javel barks.

"You need to be stricter with your son," she says. "That boy does what he wants."

Sybille and her sister look at each other and begin to set the table. They place seven plates on the table.

"Knife to the right, fork to the left, knife to the right, fork to the left," repeats little Sybille.

"We're missing a chair," remarks Mr. Godin. "I'll take the chair from Sybille's room if I can find one in the mess."

Cecile stares at her fiancé.

"Leo? Can you get my cardigan from the house? I'm freezing."

Leo is a tall, slim man. He's tanned, which I find a little odd, because it's December in Paris. On his wrist he wears a large gold watch.

"Of course, darling," he says, looking at his watch. "Start eating without me. I'll be back in 5 minutes."

Leo opens the front door and disappears.

"Let's eat," says Ms. Godin, placing a chicken and a dish of gratin dauphinois on the table.

The six of us sit around the table. Mr. Godin and Ms. Ricard are at the head of the table. I'm between Ms. Godin and Sybille. Opposite me is Cecile and Leo's empty chair.

"I hope you like chicken," says Mr. Godin.

"I love chicken!"

"Do you like oysters too?" asks Sybille. "Tomorrow there'll be oysters for Christmas dinner."

"To be honest, I'm not a big fan of oysters," I say politely. "I prefer scallops."

We start eating in silence. It's a real pleasure for me to watch these three generations sharing a good dinner.

"Leo has a new gold watch, doesn't he?" Mr. Godin asks Cecile. "When did he buy it?"

CHAPTER 11 EXERCISE

Time for dinner! The whole family, except for Julien, will be eating chicken with gratin dauphinois.

Find the correct translation for these spices and herbs:

1. la cannelle
a) clove
b) bay leaf
c) cinnamon

2. les graines de coriandre
a) cardamom
b) oregano
c) coriander seeds

3. la noix de muscade
a) nutmeg
b) bay leaf
c) cumin

4. feuille de laurier
a) rosemary
b) bay leaf
c) ginger

5. le clou de girofle

a) clove

b) nutmeg

c) garlic

CHAPTER 12

L eo opens the front door. He's shivering with cold.

"I should have worn my jacket," he says. "It's freezing outside."

"You took your time," says his future father-in-law. "We've almost finished eating."

Leo places the sweater on Cecile's shoulders.

"Here, darling."

"Thank you," she says.

"You're welcome, my love," he replies.

Ms. Godin gets up to bring her future son-in-law a plate with chicken breast and a serving of gratin dauphinois.

Leo swallows his meal in less than two minutes. We watch him eat.

"It's delicious," he says.

Leo burps, then he wipes his mouth with his napkin. He looks at me intensely. I can tell he's dying to talk to me. He drinks a little wine and begins.

"What is ze political situation in ze United States today?" he says in English.

"I prefer to speak in French," I tell him.

"I completely understand," adds Leo in English. "But I love to speak English whenever I have the opportunity. It's such a great language..."

Ms. Ricard looks at him with daggers in her eyes. She taps the floor with her cane. Javel opens one eye, then closes it.

"Leo, stop speaking English at the table. You're ridiculous," she says. "And it's rude. I don't understand English."

"Neither do I," says Ms. Godin. "I don't speak English."

"And neither do I," says Mr. Godin. "I don't know how to speak English."

Ms. Godin cuts a piece of cheese and puts it on her plate.

"Instead let's talk about the wedding," she says a little loudly. "Have you made a decision about the reception?"

"Not yet," says Leo in English.

"Do I have to book a castle, or do we have the wedding in our living room?" she asks, frustrated.

"My darling, my darling," says Mr. Godin. "We're not going to talk about the wedding in front of our guest. You'll get upset."

"You're right," she says resignedly.

Ms. Godin gets up and takes a wonderful apple pie out of the oven.

CHAPTER 12 EXERCISE

In this chapter, Leo tries to speak English with Alice.

And Ms. Godin is trying to organize a wedding.

Try to conjugate the verb *essayer* (to try) in the present, past and future tenses.

Present tense (there are two possible spellings)

j'essaie / essaye
tu essaies / essayes
elle essaie / essaye
nous essayons
vous essayez
elles essaient / essayent

Present perfect (passé composé)

j'ai essayé
tu as essayé
elle a essayé
nous avons essayé
vous avez essayé
elles ont essayé

Future tense (there are two possible spellings)

j'essaierai / essayerai

tu essaieras / essayeras

elle essaiera / essayera

nous essaierons / essayerons

vous essaierez / essayerez

elles essaieront / essayeront

CHAPTER 13

"Can I have some wine?" Leo asks his future father-in-law in English.

Mr. Godin looks at him with wide eyes. He really doesn't understand a thing about Shakespeare's language.

"May I have some wine?" repeats Leo in English.

Leo is starting to get on my nerves, speaking English all the time. For once I'm lucky enough to spend a few days with a family who doesn't speak a word of English. He's not going to spoil my stay!

"Would you like another glass of wine, Ms. Hunt?" asks Mr. Godin.

"Yes, thank you very much."

Mr. Godin pours me a glass of wine. Unfortunately, as I take it, I drop it. There's red wine on the tablecloth.

"I'm sorry," I say.

"Don't worry," says Leo in English.

"That's all right. You must be tired from the trip," says Ms. Godin, paying no attention to her son-in-law.

"Quickly put some coarse salt on the wine stain," orders the grandmother.

"My mother-in-law knows a lot of tricks for removing stains," says Mr. Godin, looking at Leo strangely.

"He's right for once," adds the grandmother. "I know all the tricks to get stains out. Turmeric stains, chocolate stains, wine stains.... and even blood stains."

Ms. Godin puts her hand on her mother's arm.

"Mom worked at the Paris Opera in the 80s and 90s. She was in charge of costume cleaning. It was a big responsibility. Paris Opera costumes are real works of art. You have to clean them without damaging them."

The old lady gives her dog a small piece of Gruyère cheese.

"Did you know that some costumes were cleaned with a mixture of water and vodka?" asks Ms. Ricard with a smile.

It's the first time I've seen her smile.

"Ms. Hunt, if you get a stain on your blouse," she continues, "come and see me."

"I promise," I reply.

"Wicked," says Leo in English.

We look at him and we all roll our eyes.

CHAPTER 13 EXERCISE

In this chapter, we learn that Ms. Ricard, the grandmother, worked at the Paris Opera.

Who composed the following operas?

1. Turandot
a) Strauss
b) Poulenc
c) Puccini

2. The Magic Flute
a) Debussy
b) Mozart
c) Rossini

3. The Barber of Seville
a) Mozart
b) Rossini
c) Donizetti

4. Carmen
a) Wagner
b) Bizet
c) Verdi

5. Figaro's wedding

a) Mozart

b) Puccini

c) Verdi

CHAPTER 14

After the meal, Mr. and Ms. Godin go into the living room to watch television. Ms. Ricard goes up to her apartment, because television depresses her. Leo and Cecile tidy up the kitchen.

Sybille invites me into her room to show me her drawings.

Sybille, who was very quiet during the meal, is very talkative in her room. She bombards me with questions.

"Do you have children?" she asks.

"No."

"Why?"

"Because I haven't found a good dad to have a child with."

"But you don't need a dad. You can use medically assisted reproduction."

"It's true, but... it's... it's too expensive."

I should have told her the truth. I should have told her that I don't like children very much.

"Do you have a dog?"

"No, I don't have a dog."

"Why?"

"Because they get hair everywhere."

"Do you have a cat?"

"No, I don't have a cat."

"Why?"

"For the same reason. Because they get hair everywhere."

"Do you have a horse?"

"No, because I'm afraid of horses."

"Do you have a gun?"

"No, because I'm very, very afraid of firearms."

"Do you wear a cowboy hat and cowboy boots?"

"Yes, when I go dancing."

"Why are you learning to speak French?"

"Because I find French very pretty and I love French culture."

This little girl is very curious. For a librarian like me, it's a real pleasure to talk to a curious little girl.

If I had a child, I'd like to have a child like her.

CHAPTER 14 EXERCISE

Sybille is a curious little girl. She asks lots of questions.

Find the question that goes with the answer.

1. Answer: The drawing is on the wall.
a) Where's the drawing?
b) In which room is the drawing located?
c) Who drew this picture?

2. Ms. Ricard worked at the Paris Opera.
a) How old is Ms. Ricard?
b) Did Ms. Ricard travel to Paris?
c) Where did Ms. Ricard work?

3. Yes, I speak French.
a) Do you speak Shakespeare's language?
b) Do you speak Japanese?
c) Do you speak a language other than English?

4. Cecile and Leo tidy up the kitchen.
a) What are they doing? (masculine plural)
b) What are they doing? (feminine, plural)
c) What is he doing?

5. Ms. Ricard is in her apartment.

a) Why is Ms. Ricard in her apartment?

b) How is Ms. Ricard in her apartment?

c) Where's Ms. Ricard?

CHAPTER 15

"Now it's my turn to ask you questions," I tell Sybille.

"Okay," she says. "Let's hear it."

"What question can I ask you?"

"Do you believe in Santa Claus? All adults ask me the same question."

This little girl is really smart.

"All right then, Sybille, do you believe in Santa Claus?"

"No!" she says.

"Really?"

"I haven't believed in Santa Claus since I was 5," she says proudly, "but don't tell my parents. They'll be disappointed. They don't know the truth."

"It's a promise. I won't tell your parents."

I look at Sybille's drawings on the wall. There are drawings of planets. They're very pretty. Near the window, there's a drawing that catches my eye. It's a drawing of her family.

"Is this your sister Cecile?" I ask, pointing to a woman in a somewhat short skirt.

"Yes, that's her. On her right is Leo and on her left is Dad."

I notice that Leo and Mr. Godin are both wearing long white coats.

"Why are they dressed in the same clothes in your drawing?"

"They wear long white coats because they're both dentists. They work together."

"Really? I didn't know that. It's nice working with family."

"I don't think so," she says. "Dad's not happy. I heard him talking to Mom in their room. He thinks Leo is stealing money at work."

I say nothing and continue to observe the drawing.

"And here? Is that Julien?" I say, pointing to another character in the drawing.

"Yes, that's is my brother Julien."

"What is he doing?"

"He's looking at his phone."

"And here?" I ask, pointing to two women.

"This one's Mom and this one's Grandma with Javel."

"I love your drawings Sybille. You are very talented."

It's crazy how much you can learn from children's drawings.

CHAPTER 15 EXERCISE

Find the secret word!

Answer these four questions and write the first letter of each answer here to find the secret word:

<u>N</u> <u>O</u> <u>E</u> <u>L</u>

It's the opposite of yes.
<u>N</u> <u>O</u> <u>N</u>

It's a small green or black fruit eaten as an aperitif.
<u>O</u> <u>L</u> <u>I</u> <u>V</u> <u>E</u>

To put paper around a gift before giving it.
<u>E</u> <u>M</u> <u>B</u> <u>A</u> <u>L</u> <u>L</u> <u>E</u> <u>R</u>

It's Cecile's fiancé's first name.
<u>L</u> <u>É</u> <u>O</u>

A hint: During this time of year, I drink a lot of champagne.

CHAPTER 16

DECEMBER 24TH, 8 A.M.

The next morning, when I wake up, I wonder where I am. I look around. I'm in a twin bed. The comforter cover is printed with soccer balls. On the wall, the players Zinédine Zidane and Cristiano Ronaldo are watching me.

I remember now that I'm in Julien Godin's room. I haven't met him yet. He must hate me for taking his room for Christmas.

I get up and leave the room. On the coffee table in the living room are the champagne flutes and the empty bottle.

I can hear Ms. Godin singing in the kitchen.

"Little Santa, when you come down from heaven, with your toys by the thousands, don't forget my pretty shoes..."

"Hello!" I say as I enter the kitchen.

Ms. Godin is startled.

"Oh, you scared me," she says, putting a hand over her heart. "Good morning, did you sleep well?"

"Very well, thank you. I really like the song you're singing. What's it called?"

"The song is called Petit Papa Noël."

Ms. Godin takes up the song. She has a beautiful voice.

> *Little Santa Claus*
> *when you come down from heaven*
> *with toys by the thousands*
> *don't forget my pretty* souliers.
> *But before you go*
> *you'll have to wrap up warm*
> *you're going to be so cold out there*
> *it's partly my fault.*

"It's a very pretty song. I think I understand the lyrics except for the word *soulier*. What does *soulier* mean?"

"*Souliers* are shoes," explains Ms. Godin. "It's a word that's not used much these days."

"I understand. Thanks for the explanation."

"You're welcome."

"So after breakfast, I have to put my *souliers* under the Christmas tree."

"Exactly. It's important if you want a present from Santa! Have you been good this year, Alice?" she asks me.

"Good?"

"You haven't done anything foolish?"

I thought for a moment.

"I've been very good this year."

"In that case, you're going to have a nice present for Christmas," she says.

CHAPTER 16 EXERCISE

It's December 24th!! Tonight, the whole family will be celebrating Christmas.

Here's a little quiz on Christmas. Do you know the answers?

1. In France, what is the traditional Christmas dish?
a) cheese fondue
b) **turkey with chestnuts**
c) rabbit with mustard

2. Who helps Santa make the toys?
a) the little mouse
b) Cinderella
c) **the elves**

3. Which tree do we decorate at Christmas?
a) an oak tree
b) an apple tree
c) **a pine tree**

4. What does Santa use to get around?
a) a vespa
b) a plane
c) **a sleigh**

5. What accessory doesn't have a Christmas connection?

a) a sleigh

b) a safe

c) a white beard

CHAPTER 17

IN THE KITCHEN, DECEMBER 24TH, 8:30 A.M.

"Would you like some tea or coffee for breakfast?" Ms. Godin asks me.

"I'd like a cup of tea, please."

"And to eat? Toast with butter and jam?"

"Yes, that's perfect, thank you. I'm not used to being served."

"It's normal. You're my guest."

Ms. Godin cuts a piece of baguette about five centimeters long. She cuts it in half again lengthwise. And she puts both pieces in the toaster.

"Can I ask you a question?" I ask her.

"Of course."

"I'd like to know why you invited an American to your house for Christmas."

Ms. Godin looks at me.

"It was my mother's idea. She knows the Dallas consul. He's a friend. He's an opera buff. Recently, in a phone call, he told her about the *Spend the Holidays with Us!* program. She thought it was a unique idea and told me all about it. What's more, I have to say that your being here takes my mind off things. I'm not thinking about Cecile's wedding anymore."

Ms. Godin places the toast on the table with a stick of butter and a jar of strawberry jam.

"Today's an important day," she says. "It's Christmas Eve!"

She looks me straight in the eye.

"We're going to eat duck. My daughters don't like the traditional Christmas dish, turkey with chestnuts. Do you like duck?"

"Yes, very much."

"Perfect. For the appetizer, we'll have oysters and foie gras. And for dessert, we'll savor a Yule log cake."

"Can I help you prepare the meal?"

"No, you're our guest. Enjoy Paris. The city is so beautiful at Christmas."

I decide to take her advice. After this gargantuan breakfast, I get dressed in warm clothes and head outside.

CHAPTER 17 EXERCISE

Complete the following sentences with the correct verb.

1. La grand-mère **connaît** le consul de Dallas.
The grandmother knows the Dallas consul.

2. Il **adore** l'opéra.
He loves opera.

3. Il **a travaillé** à Paris dans les années 90.
He worked in Paris in the 90s.

4. **Passez** les fêtes chez nous !
Spend the holidays at our home!

5. Ce soir, ils **vont** manger du canard.
Tonight, they are going eat duck.

6. Alice **veut** aider madame Godin à préparer le dîner.
Alice wants to help Ms. Godin prepare dinner.

CHAPTER 18

I walk the neighborhood streets: rue des Rosiers, rue Vieille-du-Temple, rue des Francs-Bourgeois. I see gay clubs, trendy clothing boutiques, Japanese pastry shops, Lebanese restaurants, synagogues...

Near the Pont Marie, I see Cecile Godin. She's talking with a young man. He's wearing a green and blue tracksuit. He's talking animatedly. He tries to take her arm, but she doesn't want to.

Strange, it's not Leo.

I don't want her to see me, so I change streets and cross the Ile Saint-Louis. I pass the Arab World Institute and the University of Jussieu. And several streets later, I'm standing in front of a mosque. It looks like the ones you see in travel books about Morocco, with oriental decorations and a domed roof. I approach it. On the right, I see a restaurant, a tea room and also a hammam reserved for women.

I decide to enter the hammam to have a look. I pass through a small carved wooden door. Behind the door is a large, beautifully decorated room. I'm in another country.

A woman welcomes me. She shows me the different options: steam bath, steam bath plus scrub, steam bath plus scrub plus massage, steam bath plus scrub plus massage plus mint tea. Everything looks wonderful.

I let myself be tempted. I choose the steam bath, scrub and mint tea package for 50 euros. She gives me a yellow glove, pink plastic sandals, a towel and a small green soap.

"It's real Marseille soap," she tells me. "There's nothing better for cleansing the skin!"

She points to the changing room.

"Start by undressing over there."

"Thank you, ma'am," I say to her.

The changing room is long and narrow. I quickly undress, keeping my panties and bra on. Unfortunately, I don't have a bathing suit.

I put the towel around my waist and push open a door. I enter a large, warm and humid room. The floor is covered with blue, orange and black tiles. It's very beautiful. The humid heat envelops my body. I sit on a bench and observe.

Around me, there are women, lots of women. Some are talking, some are laughing, some, like me, are staring at this Oriental mosaic decor. I stand still for several minutes.

I put the soap on my arms, stomach, legs and feet. It smells like olive oil. I love that smell. Then I take a shower. I'm careful not to fall. It's not easy. Marseille soap makes my feet very slippery.

After a long shower, a woman asks me to lie down on a marble table. She takes my yellow glove and starts running it over my body. The glove feels as rough as a cat's tongue. It's not pleasant.

"Can you scrub less hard," I beg the woman.

"No," she replies. "To remove dead skin, you have to rub and rub hard."

I'm happy when the scrub stops. My skin is on fire.

Then I sit down in the relaxation room. The light is soft. I'm calm and relaxed. A woman brings me mint tea in a small glass.

I feel good, but I have to go back soon. Christmas Eve is tonight.

CHAPTER 18 EXERCISE

In the hammam, Alice puts Marseille soap on her body.

Find the translation of these body parts:

1. une cheville
a) a knee
b) a wrist
c) an ankle

2. un pouce
a) a thumb
b) a nail
c) a toe

3. un coude
a) a knee
b) an elbow
c) an ankle

4. un ongle
a) a nail
b) a navel
c) a shoulder

5. un poignet

a) a cheek

b) a heel

c) a wrist

CHAPTER 19

In the kitchen, Leo and Mr. Godin open the oysters. There are already a dozen on a tray.

Leo opens a new oyster in front of me.

"Look," he says in English, putting the oyster under my nose. "She is alive! She moves!"

I almost want to vomit.

"These oysters are very fresh. Where are they from?" he asks his future mother-in-law.

"They're from the Isle of Oleron," replies Ms. Godin. "The fishmonger swore to me that they arrived in Paris this morning. We're in for a treat!"

Leo grabs another oyster. He opens it in two seconds with a small knife with a triangular blade.

"Alice, do you prefer to eat *les huîtres avec un peu de* lemon *ou avec du vinaigre*? " he says in Franglais.

I sit down. I feel a little nauseous.

On the kitchen table, Ms. Godin prepares the ducks. They are arranged in a large glass dish. They still have their heads. She puts herbs of Provence, garlic and olive oil on the two birds. She adds a little coarse salt and begins to massage the two birds energetically with her hands. Oh no! I think back to the mosque scrub.

"You're very pale, Alice. Are you OK?" asks Ms. Godin.

"I'm just a little warm," I reply. "Maybe it's a hot flash."

Just then, the front door opens. Cecile and Sybille arrive with four bottles of wine covered in dust and cobwebs.

"It's cold in the cellar," says Cecile. "It's a good thing I wore a sweater this time."

"Did you buy the Yule log cake this afternoon, Cecile?" asks Ms. Godin.

Cecile takes an oyster from the tray and drops it slowly into her mouth.

"Yeah. I bought it from Pierre Hermé like you asked me to."

A small piece of the oyster comes out of Cecile's mouth. I turn my head so as not to look.

The grandmother is cutting a small piece of foie gras. She throws it to her dog Javel.

"Javel loves foie gras," she says. "He could eat it for every meal."

Javel wags his tail. He's happy. As for me, I don't feel so good.

"I think I'll go to my room for five minutes," I say.

"All right, then. I'll call you for the aperitif," says Ms. Godin.

I think I see one of the ducks in the dish wink at me before it goes in the oven.

CHAPTER 19 EXERCISE

For Christmas Eve dinner, the French family will eat oysters.

Here's a short text about oysters.

Unfortunately, there are 5 mistakes in this text. Can you find them?

Here are the mistakes shown in **bold**:

Pour vérifier si une huître est fraîche, il faut la piquer avec la pointe d'un couteau ou y verser une goutte de citron **où** de vinaigre. Elle doit alors se **rétracté** un peu. Si elle ne se rétracte pas, cela signifie que l'huître est morte. Il n'est donc plus judicieux de la consommer sauf si **tu** voulez tomber malade. N'achetez jamais une huître qui « bâille », c'est-à-dire qui s'ouvre spontanément, car elle est sûrement morte. **Sa** odeur est obligatoirement agréable. Si elle sent le pied sale, ne la **manger** pas. C'est mon conseil !

Here are the corrections in **bold**:

Pour vérifier si une huître est fraîche, il faut la piquer avec la pointe d'un couteau ou y verser une goutte de citron **ou** de vinaigre. Elle doit alors se **rétracter** un peu. Si elle ne se rétracte pas, cela signifie que l'huître est morte. Il n'est donc plus judicieux de la consommer sauf si **vous** voulez tomber malade. N'achetez jamais une huître qui « bâille », c'est-à-dire qui s'ouvre spontanément, car elle est sûrement morte. **Son** odeur est obligatoirement agréable. Si elle sent le pied sale, ne la **mangez** pas. C'est mon conseil !

Here is the translation:

To check if an oyster is fresh, you need to prick it with the tip of a knife, or add a drop of lemon or vinegar. It should then retract slightly. If it doesn't retract, that means the oyster is dead. It's not a good idea to eat it unless you want to get sick. Never buy an oyster that's "yawning", that is to say, that opens spontaneously, because it is surely dead. Its smell should be pleasant. If it smells like dirty feet, don't eat it. That's my advice!

CHAPTER 20

DECEMBER 24TH

W e're in the living room, a glass of champagne in hand. It's party time!

"Champagne should be reimbursed by the national health service," says the grandmother.

She's wearing a white skirt and a white blouse.

"It's simple, it's good for everything," she adds. "Rheumatism, arthritis..."

It's true that since I've been drinking champagne, I feel better.

"They say it's good for the libido too," continues the grandmother, looking at her granddaughter Cecile.

I notice that Cecile and Leo are sitting far from each other.

"Where's Julien?" asks Mr. Godin to change the subject.

"Your son's asleep," says Ms. Ricard. "He played soccer all afternoon. He came home around 4pm covered in mud. He ate a big plate of pasta with grated cheese and now he's sleeping on my sofa."

"He's not going to sleep in on Christmas Eve, is he?" asks the father, shocked.

"Let him sleep," says Sybille. "We're much better off without him!"

"Sybille!" says Mr. Godin.

"I don't know if you're going to meet my son Julien," says Ms. Godin, "but he does exist. Look, he's put his shoes at the foot of the tree."

We all turn to the Christmas tree. I'm guessing that the pair of mud-covered soccer shoes belongs to Julien.

"Can you guess who is ze *propriétaire* of ze shoes?" asks Leo in Franglish.

He's really getting on my nerves, speaking English like that.

"Can you guess?" asks Ms. Godin.

"I think I can. The little red shoes are Sybille's and the sneakers are mine."

"That's easy," says the grandmother.

"The gold shoes with the high heels are Cecile's."

"That's true," says Leo.

"The large brown leather shoes belong to Mr. Godin."

"Perfect," says Ms. Godin.

"The very white shoes belong to Ms. Ricard."

"Well done."

"The blue shoes belong to Ms. Godin."

"Excellent."

"And the four little boots are Javel's."

"*Bravo, c'est un sans-faute.* You can have *une deuxième coupe!*" says Leo in Franglais, pouring me some champagne.

"What about your shoes, Leo?" asks the grandmother. "Aren't they under the tree?"

"You're right," he says, surprised. "Yet yesterday, I left a pair of shoes under the tree. That's bizarre."

Without missing a beat, Leo takes off his shoes and puts them under the tree.

"There we go!" he says.

Mr. Godin suddenly stands up.

"Are you coming into the kitchen, Sybille? We mustn't forget Santa's snack."

"I'm coming, Dad!" she says, winking at me.

They return five minutes later with a glass of milk and some cookies.

"Shit," Cecile suddenly shouts, "I completely forgot about the Yule log cake in the fridge. Leo, can you get it for me?"

"Of course, darling," he says, standing up.

"Don't forget to wear your jacket this time," says the grandmother. "It's very cold outside."

CHAPTER 20 EXERCISE

Grandma notices that Leo's shoes are missing under the tree.

In the following six sentences, one word is missing. Can you find them?

1. Le verre pour boire le champagne s'appelle une coupe ou une <u>flûte</u>.
The glass used to drink champagne is called a coupe or flute.

2. La soirée du 24 décembre s'appelle le <u>réveillon</u> de Noël.
The evening of December 24 is called Christmas eve.

3. Une petite botte s'appelle une <u>bottine</u>.
A small boot is called a bottine.

4. Le dessert traditionnel de Noël s'appelle une <u>bûche de Noël</u>.
The traditional Christmas dessert is called a Yule log cake.

5. Le chien de madame Ricard s'appelle <u>Javel</u>.
Ms. Ricard's dog is named Javel.

6. On mange les huîtres avec du vinaigre ou du <u>citron</u>.
Oysters are eaten with vinegar or lemon.

CHAPTER 21

DECEMBER 24 AT 8:27 P.M.

"It's almost 8:30. Let's sit down to dinner," says Mr. Godin.

"Good idea," says the grandmother, tapping the ground with her cane. "I'm starving."

A beautiful white tablecloth covers the table. There are large round plates, embroidered napkins, crystal glasses and silver cutlery. A truly festive table!

"Sit down here," says Ms. Godin.

I'm sitting between Cecile and Sybille. Opposite me is Leo's empty chair.

"Should we wait for Leo before eating?" asks Sybille. "He should be here soon."

"He left four or five minutes ago," says Mr. Godin, looking at his watch.

"Let's start eating without him," says the grandmother. "I'm so hungry. I don't want to eat too late!"

Mr. Godin places the oyster platter in the center of the table.

"Bon appétit," he says.

"I understood that you didn't like oysters," says Ms. Godin. "So I've prepared an appetizer especially for you."

She hands me a plate. On the plate are scallops.

"They're cooked with crème fraîche," she says. "You like crème fraîche, I hope?"

I can't believe my eyes.

"This is exactly what I wanted to eat for Christmas Eve! Thank you very much, Ms. Godin!"

I'm so happy I almost have tears in my eyes. I feel so welcome in this family.

"Is everyone happy?" asks Mr. Godin, pouring red wine into his mother-in-law's glass.

Just then, we hear a knock on the door.

"Open up, Cecile. It's probably Leo who wants to come in with the Yule log cake."

The scallops are delicious. I'm ecstatic. I don't immediately notice the two men in the kitchen.

"Hello, gentlemen," says Mr. Godin. "May I help you?"

Both men show their Police Nationale badges.

"We're sorry to interrupt your Christmas Eve celebrations. Do you know Mr. Leo Mallet?" asks the first.

"Yes, he's my future son-in-law," answers Mr. Godin. "Why do you ask?"

"Mr. Leo Mallet was found dead at the bottom of the stairs in your building!"

CHAPTER 21 EXERCISE

Mr. Leo Mallet was found dead at the **bottom of the** stairs.

Find the correct French translation of these words:

1. à droite
a) to the left
b) to the right
c) straight ahead

2. en face
a) under
b) on a face
c) across

3. souvent
a) never
b) always
c) often

4. devant
a) in front
b) after
c) on

5. tout droit
a) all right
b) straight ahead
c) under

CHAPTER 22

"We have some questions to ask you," say the policemen.

They're wearing the same dark blue suit and the same black moustache. They look like twin brothers.

"Ask your questions," says the grandmother in a calm voice.

I'm in shock. Leo slipped on the stairs. His neck broke and he died. I can't believe it.

"My God! It's an accident, isn't it?" shouts Ms. Godin.

"We don't believe so," say the police. "We think it's murder."

The two men simultaneously take out a notebook and pen from their right-hand jacket pocket.

"In Mr. Leo Mallet's wallet, we found a receipt for a cash withdrawal at the Société Générale bank on rue des Archives. But Mr. Mallet's wallet was empty."

"A withdrawal of how much?" asks Mr. Godin.

"A withdrawal of 1,500 euros," say the police.

"1,500 euros!" says Ms. Godin.

"Do you know where this money is?" ask the police.

"No idea," says Mr. Godin, "but my son-in-law is gifted at making money disappear."

Cecile starts to cry.

"Mr. Leo Mallet wasn't wearing shoes when he was found at the bottom of the stairs," added the police. "Very strange, isn't it?"

"There's a very simple explanation," says Mr. Godin. "Leo left his shoes under the tree."

"Under the tree? But for what reason?" they ask.

Presumably the police don't know about this tradition.

"Leo left his shoes under the tree for Santa Claus, come on!" says Mr. Godin.

The policemen shrug. They still don't understand.

"Santa only puts presents next to the shoes," adds Mr. Godin with a wink.

The police have just noticed that there's a little girl in the kitchen. She must not be told the truth about Santa's existence.

"Oh yes," says a policeman, "I'd forgotten. Of course. It's obvious. You have to put your shoes under the tree for Santa."

The police officers turn a page in their notebooks.

"Finally, we found a strange note in his pocket."

"A strange note? What's written on this note?" asks Cecile, a little jealously.

"I don't know," they say. "It's in English and we don't speak English. But the note is signed Alice Hunt. Do you know this person?"

At that moment, all eyes turn to me.

CHAPTER 22 EXERCISE

Put verbs in the past tense (passé composé).

1. Le père Noël <u>dépose</u> les cadeaux à côté des chaussures.
Le père Noël <u>a déposé</u> les cadeaux à côté des chaussures.
Santa put the presents next to the shoes.

2. Les deux hommes montrent leur badge de la Police nationale.
Les deux hommes <u>ont montré</u> leur badge de la Police nationale.
Both men showed their Police Nationale badges.

3. Je n'en crois pas mes yeux.
Je n'en <u>ai</u> pas <u>cru</u> mes yeux.
I didn't believe my eyes.

4. Ils lisent une page de leur carnet.
<u>Ils ont lu</u> une page de leur carnet.
They read a page from their notebooks.

5. À ce moment-là, tous les regards se tournent vers moi.
À ce moment-là, tous les regards <u>se sont tournés</u> vers moi.
At that moment, all eyes turned to me.

CHAPTER 23

Mr. and Ms. Godin, Cecile and her grandmother point at me.

"She's the only one who can write in English."

"She's not family."

"We don't really know her."

"She was angry because Leo spoke English all the time."

"She's weird. She doesn't like oysters."

"She lives in Texas and Texans are nuts."

Suddenly, I'm having trouble digesting the scallops with crème fraîche.

"We're taking you to the fourth arrondissement police station, Ms. Hunt," say the officers. "We need to ask you more questions. We'll be more comfortable there."

In the police car, I'm silent. This is not the Christmas Eve I'd imagined.

At the police station, we enter a small, windowless office. The two policemen show me to a chair.

"Sit there."

"Will the interrogation take long?" I ask.

"We're the ones who ask the questions, Ms. Hunt."

"I'm so sorry."

"Why are you alone in Paris for the Christmas holidays?" they ask suspiciously.

I explain to the two policemen that I didn't find anyone to spend Christmas Eve with me.

"Don't you have friends?"

"I have friends, but they celebrate Christmas with their families. I have two single friends, but one friend is vegan and the other doesn't drink wine... And I'm not vegan and I like wine."

"They're vegan and they don't like wine? You have very strange friends, Ms. Hunt."

The two policemen look at each other.

"What was your relationship with Leo Mallet?"

"We got along well."

"Did you know Mr. Leo Mallet before coming to Paris? A former lover perhaps?"

"No way! I'd never seen him before this trip."

I'm suddenly thirsty. My throat is dry.

"Can I have something to drink?" I ask them.

"What would you like to drink? We have a Château Mont-labert 2019 or a Côte-de-Nuits-Villages 2020."

I look at them surprised.

"Is it normal to offer good wine in a police station in France?" I ask.

"We had a Christmas party at the police station today. We have lots of good bottles left. We're happy to share a glass with an American woman who loves wine."

"Then I'd like a glass of Côtes-de-Nuits-Villages, please."

CHAPTER 23 EXERCISE

The two policemen and Alice arrive at the police station. Alice is thirsty. The two policemen offer her a glass of wine. It's a real Christmas miracle!

Find the correct translation:

1. un bouchon
a) a label
b) a cork
c) a barrel

2. une dégustation
a) a tasting
b) a palate
c) a cheap wine

3. les vendanges
a) harvest time
b) vineyards
c) labels

4. un poivrot (informal)
a) a man who drinks too much
b) a man who crushes grapes with his feet
c) a man who can't drink

5. un cadavre

a) a bottle covered with spiderweb and dust

b) an empty bottle

c) a bottle impossible to open

CHAPTER 24

One of the policemen returns with a glass of wine. I taste it. The wine is absolutely delicious. It's light and fruity.

If it's a strategy to get me to talk, it works very well, because I start talking without the police asking me any questions.

"Since I've been staying with the Godin family at 85 rue de la Verrerie, I've heard some interesting things."

"Really? Like what, for example?" the policemen ask me in one voice.

"I've heard, for example, that there are problems between Mr. Leo Mallet and Mr. Godin. They work together.

They're both dentists. It might be interesting to look into that."

The police officers note a few words in their notebooks.

"Have you heard anything else?" they ask me.

"I also know that Ms. Godin is planning the wedding of her daughter and Leo. The wedding is in two months, but nothing is ready. She's very stressed. With Leo's death, her worries disappear!"

The policemen reread their notes and they look at me.

"Are you sure you didn't meet Mr. Mallet before traveling to Paris?" they ask me.

"I'm sure. I never met Mr. Mallet before this trip. I swear to you!"

We're not going very fast. At this rate, I'll be spending New Year's Day and the Easter holiday at the station.

"Can I see the note you found in Leo's pocket?" I ask.

One of the policemen hands me a transparent plastic envelope. Inside the envelope is a piece of paper on which is written in pencil:

For what hope remains if love can escape?
If love still lives and grows strong where I
cannot enter,
what hope is there in my own dark world for me?
I love you,
Alice Hunt

"Can I use my phone?" I ask the policemen. "This text seems familiar."

"Okay," they say in unison.

I enter the text in the Google search engine and eureka!

I've got it!

Triumphant, I finish my glass of Côte-de-Nuits-Villages 2020.

"Let's go back to 85 rue de la Verrerie," I tell the police. "I know who killed Mr. Leo Mallet!"

CHAPTER 24 EXERCISE

Alice asks the police to return to 85 rue de la Verrerie because she knows who killed Leo Mallet.

What about you? Do you know the correct verb for these sentences?

1. Les policiers <u>savent</u> qu'Alice aime le bon vin.
The police knows that Alice likes good wine.

2. Alice pense <u>connaître</u> le meurtrier.
Alice thinks she knows the murderer.

3. Au commissariat, on <u>sait</u> comment faire parler les suspects.
At the police station, one knows how to make suspects talk

4. Quand on est policier, on <u>sait</u> poser des questions.
When you're a policeman, you know how to ask questions.

5. Alice et moi <u>connaissons</u> la ville de Paris.
Alice and I know the city of Paris.

CHAPTER 25

Around the kitchen table, Mr. and Ms. Godin, their two daughters Cecile and Sybille, Ms. Ricard and the dog Javel have their eyes fixed on me.

The two policemen remain standing by the door.

"Who wanted to make Leo Mallet disappear? Maybe you, Mr. Godin?"

"No way," he says. "Absolutely not."

"Mr. Godin, you suspected your son-in-law of stealing money from the company. If Leo disappears, the thefts stop. It's easy to understand."

"It's easy to understand," he says, throwing up his hands. "But I never wanted to kill him."

Now I'm looking at his wife.

"Who else wanted to make Leo Mallet disappear? Maybe you, Ms. Godin?"

"No way!" she shouts. "Not at all."

"Ms. Godin, you no longer wanted to organize Leo's wedding to your daughter Cecile. With Leo's death, there's no more wedding!"

"You're talking nonsense!" she says, furious.

Now I go towards Cecile. I remember seeing her yesterday talking with a young man who wasn't Leo.

But at the last moment, I put my hands on Ms. Ricard's shoulders.

"When I came in the building this afternoon, I immediately smelled something very unusual on the stairs: the scent of Marseille soap. Do you know the characteristics of Marseille soap, Ms. Ricard?"

"Of course! It cleans all stains very well," she says.

"And what else?"

"I don't know."

"You know very well, Ms. Ricard. Marseille soap makes everything very slippery. I almost fell in the hammam this afternoon because of Marseille soap."

I now look at the two policemen.

"At the police station, I discovered that the text found in Leo's jacket was taken from the opera *Billy Budd*. An English-language opera performed in Paris in April 1996! You worked at the Paris Opera in 1996, didn't you, Ms. Ricard?"

The grandmother remains silent.

I look at the members of the Godin family.

"On Christmas Eve, Ms. Ricard put Marseille soap on the stairs and put a note in English, copied from an opera, in Leo Mallet's jacket."

"With this note in English, the American is suspect number one," says one of the policemen. "Well done."

I reach for my glass on the table. I take a slow sip for a more dramatic effect.

"Yesterday, Ms. Ricard stole Leo's shoes. So Leo had to leave a new pair of shoes under the tree, and that is the reason why he went to get the Yule log in his socks."

"Socks plus Marseille soap equals a fatal accident on the stairs," says the other policeman. "That's a good point."

Ms. Ricard no longer looks at me. She knows I've found her out.

"But why, mom?" asks Ms. Godin.

"But why, grandma?" ask Cecile and Sybille.

"But why, mother-in-law?" asks Mr. Godin.

Ms. Ricard cuts a piece of foie gras with her knife. She gives it to Javel.

"Ever since Cecile got engaged to Leo," she begins, "she doesn't eat lunch with me on Wednesdays."

Javel wags his tail. He wants more foie gras.

"Every Wednesday," says the grandmother, "I have to cross out Cecile's name in my calendar and replace it with my daughter's name."

Her face tightens.

"I hate stains on clothing, and I hate cross-outs in my calendar!" she says. "Making Leo disappear was the only solution! I won't have to cross out my granddaughter's name in my calendar!"

The two policemen approach Ms. Ricard.

"Ma'am, get up and come with us to the police station."

The old lady rises theatrically, picks up her glass of red wine and throws it on the table.

On the white tablecloth, there's now a huge blood-red stain.

CHAPTER 25 EXERCISE

Ms. Ricard knows all the tricks to make spots disappear.

Do you know how to remove the following stains?

1. To remove a bloodstain from clothing, use :
a) cat pee
b) cognac
c) an aspirin tablet

2. To remove a coffee stain from clothing, use:
a) white vinegar
b) white wine
c) bleach

3. To remove a tea stain from clothing, use:
a) sparkling water
b) lemon
c) tequila

4. To remove a lipstick stain from an item of clothing, use:
a) Marseille soap
b) perfume
c) salt

5. To remove a perspiration stain from clothing, use:

a) champagne

b) white grape juice

c) baking soda

CHAPTER 26

DECEMBER 25 AROUND 3 P.M.

I'm in Julien's room. He's watching me put the last of my clothes in my suitcase. He's wearing a green and blue tracksuit and soccer shoes. He's the one I saw yesterday near the Pont Marie with Cecile.

My phone rings.

"Hello, Ms. Hunt?"

"Yes. That's me."

"Ms. Leger of the French Consulate General in Dallas."

"Thank you for calling me back. I've explained the situation to your assistant. I don't want to stay with the Godins anymore."

"Unfortunately, Ms. Hunt, we don't have another family available to welcome you."

I look at my suitcase on Julien's desk. What am I going to do now?

"It can't be!" I say.

"But we have another solution to offer you," she says.

I cross my fingers.

"The consul's son lives in a small apartment right next to Paris. He's currently on a trip to Barcelona. He can lend you his apartment until the end of the week."

"Thank you. Thank you very much. That's very generous of him," I say.

I'm so relieved.

"But," she adds, "there's a little problem..."

"Really? What?"

"He told us that before he left for Spain, his cat made a big stain on the carpet. He didn't have time to clean it."

I close my suitcase with a smile.

"No problem. I'm not afraid of stains," I say. "On the contrary! I adore them."

THE END

I would love it if you could leave a short review of my book. For an independent author like me, reviews are the main way that other readers find my books. Merci beaucoup !

ABOUT THE AUTHOR

France Dubin lives in Austin, Texas. She has taught French for more than ten years to students of all ages.

She decided to write books in easy French so that her students could read in French by themselves or with only a little help.

She loves to hear from her readers, and she enjoys speaking at French book clubs. Here are ways to keep in touch:

Send an e-mail to francedubinauthor@gmail.com.
Join her mailing list at francedubin.com.

instagram.com/books.in.easy.french
youtube.com/francedubin
facebook.com/FranceDubinAuthor
linkedin.com/in/francedubin

Made in the USA
Coppell, TX
16 September 2023